Français

Tous les TESTS

ée

avec

Super ZAPP !

Je m'entraîne

Je comprends

Je m'évalue

Je réussis

CEC
parasco

9001, boul. Louis-H.-La Fontaine, Anjou (Québec) Canada H1J 2C5
Téléphone : 514-351-6010 • Télécopieur : 514-351-3534

Direction de l'édition
Alexandra Labrèche

Direction de la production
Danielle Latendresse

Direction de la coordination
Rodolphe Courcy

Charge de projet
Catherine Aubin

Correction d'épreuves
Marie Théorêt

Conception graphique
Accent Tonique

Réalisation graphique

Illustrations
François Thisdale

Tous les contenus sont tirés du jeu d'apprentissage en ligne *Super Zapp!*

Tous les tests avec Super Zapp! – 6e année – Français

© 2012, Les Éditions CEC inc.
9001, boul. Louis-H.-La Fontaine
Anjou (Québec) H1J 2C5

Dépôt légal : 2012
Bibliothèque et Archives nationales du Québec
Bibliothèque et Archives Canada

ISBN 978-2-7617-3877-4

Imprimé au Canada
1   2   3   4   5   16   15   14   13   12

Table des matières

Liste des abréviations utilisées dans ce cahier

adj. = adjectif	ind. = indicatif
adv. = adverbe	m. = masculin
attr. = attribut	n. = nom
aux. = auxiliaire	P = phrase
dét. = déterminant	pers. = personne
f. = féminin	pl. = pluriel
GCP = groupe complément de phrase	p. p. = participe passé
GN = groupe du nom	prép. = préposition
GS = groupe sujet	s. = singulier
GV = groupe du verbe	v. = verbe

Mot aux parents

La collection *Tous les tests avec Super Zapp !* a été conçue par le plus important éditeur de matériel scolaire québécois au primaire, Les Éditions CEC – Parasco, afin d'évaluer et de soutenir votre enfant dans son cheminement académique. Utilisés en période de révision ou durant l'année scolaire pour favoriser les apprentissages, les cahiers de tests permettent de faire le point sur l'ensemble des acquis en français de votre enfant. Les notions présentées respectent le contenu du *Programme de formation de l'école québécoise*.

Les cahiers *Tous les tests avec Super Zapp !* présentent les contenus en cinq dossiers distincts, facilement repérables grâce à des onglets bien identifiés. Chaque dossier est structuré de la même façon et contient :

 un test diagnostique global permettant d'évaluer les connaissances de votre enfant ;

 des explications appuyées d'exemples favorisant sa compréhension ;

 des activités variées mettant en pratique les notions à l'étude ;

 des tests évaluant la progression des apprentissages de votre enfant.

Les contenus ont été tirés du jeu d'apprentissage en ligne *Super Zapp !* Ce super héros, attachant et valorisant, accompagne votre enfant tout au long des cahiers et l'encourage à atteindre ses objectifs : s'évaluer, comprendre et réussir !

Bons tests !

Vocabulaire

Test diagnostique Je m'évalue

Fais le test suivant afin d'évaluer tes connaissances sur le vocabulaire.

Bloc 1 Orthographe d'usage

1. Encercle le mot entre parenthèses qui est bien orthographié selon le sens de la phrase. **/5**

   a) Il a toujours (cent / sans / sens) projets en tête.

   b) Avec beaucoup de (sans / sens / sang)-froid, il a affronté le chien qui jappait (sans / sens / sang) cesse.

   c) L'(hauteur / auteur) de ce roman est québécois.

   d) Cette ramoneuse ne craint pas les (hauteurs / auteurs).

2. Complète les mots en gras dans les phrases. **/11**

   é   ou   è   ou   ê

   a) Cette femme **c__l__bre** est un **mod__le** de **simplicit__**.

   b) Charles **esp__re** pouvoir manger des **cr__pes** pour le **d__jeuner**, car il les **pr__f__re** aux céréales.

   c) Ne va pas **pr__s** de ce nid de **gu__pes**!

3. Ajoute un trait d'union (-) entre les verbes et les pronoms en gras lorsque c'est nécessaire. **/2**

   a) **Est __ ce** que vous viendrez à la fête de l'automne?

   b) Comme chaque année, **on __ y __ verra** la féerie des couleurs.

   c) Puis, **ce __ sera** encore le temps des pommes.

   d) Pourquoi ne **devrait __ on** pas déclarer l'été comme la plus belle saison?

Bloc 2 Sens des mots

4. Choisis l'expression qui convient à chaque définition.
Écris seulement la lettre correspondante.

/4

A. Atteindre des sommets   B. Faire ni chaud ni froid

C. Faire la pluie et le beau temps

D. La semaine des quatre jeudis

a) Réussir, avoir du succès. __

b) Avoir beaucoup d'influence. __

c) Ne faire aucune différence. __

d) Jamais. __

5. Trace un X sur l'intrus, c'est-à-dire le mot qui ne constitue pas une partie du terme générique en majuscules.

/4

a) CHIEN : tête, queue, pattes, museau, yeux, moulée

b) JARDIN : arbres, potager, arrosoir, terre

c) PIANO : partitions, touches, pédales, cordes, clavier

d) FRUIT : pelure, chair, fleur, noyau, jus

6. Écris l'antonyme de chaque nom.

/5

| fragilité | jeunesse | laideur | rigidité | saleté |

a) beauté ➔ _____

b) souplesse ➔ _____

c) propreté ➔ _____

d) vieillesse ➔ _____

e) solidité ➔ _____

7. Complète chaque phrase avec la ou les prépositions qui conviennent selon le sens.

/5

à	chez	de	en

a) Dès la première journée de classe, Julien s'est intéressé _____ Catherine.

b) Lors de l'anniversaire de Julien, le plat principal consistait _____ un pâté chinois, son plat préféré.

c) Sa sœur Frédérique était absente, car elle était en vacances _____ sa grand-mère.

d) Dans l'histoire racontée _____ Julien, le prince a choisi d'épouser la princesse _____ qui il était amoureux.

Bloc 3 Formation des mots

8. Écris le sens qui convient aux préfixes et aux suffixes qui forment les mots en gras.

/6

étranger	mesure	petit	peur de	temps	voir

a) **xénophobie**

xéno : _____

phobie : _____

b) **chronomètre**

chrono : _____

mètre : _____

c) **microscope**

micro : _____

scope : _____

9. Réunis un élément de gauche et un élément de droite de manière à former un mot savant.   **/4**

ortho	simili		génaire	phoniste
quinqua	extra		cuir	ordinaire

a) Qui est semblable au cuir : _____

b) Qui n'est pas ordinaire : _____

c) Qui a entre 50 et 59 ans : _____

d) Spécialiste de la parole : _____

Compilation des résultats

Bloc 1

Question 1 : _____ / 5   Question 3 : _____ / 2

Question 2 : _____ / 11   **Total :** _____ / 18

Si tu as obtenu une note **inférieure à 14**, lis les explications et fais les exercices proposés aux pages 12 à 16. Tu pourras améliorer rapidement tes connaissances sur **l'orthographe d'usage**.

Bloc 2

Question 4 : _____ / 4   Question 6 : _____ / 5

Question 5 : _____ / 4   Question 7 : _____ / 5   **Total :** _____ / 18

Si tu as obtenu une note **inférieure à 14**, lis les explications et fais les exercices proposés aux pages 17 à 23. Tu pourras améliorer rapidement tes connaissances sur **le sens des mots**.

Bloc 3

Question 8 : _____ / 6   Question 9 : _____ / 4   **Total :** _____ / 10

Si tu as obtenu une note **inférieure à 8**, lis les explications et fais les exercices proposés aux pages 24 à 28. Tu pourras améliorer rapidement tes connaissances sur **la formation des mots**.

Bravo !

Tu as obtenu une note égale ou supérieure à celle indiquée dans chacun des blocs ? Félicitations ! Tu maîtrises bien **le vocabulaire**. Continue à t'améliorer en complétant le dossier : tu deviendras un as !

Homophones

- Les homophones sont des mots qui se prononcent de la même façon (ou presque), mais qui ont un sens différent. On peut utiliser le contexte de la phrase pour déduire ce sens.

  Ex.: *J'ai renversé mon* **verre** (contenant) *de lait sur le tapis* **vert** (couleur).

Signes orthographiques

- Sur les voyelles, on peut retrouver différents signes, comme l'accent aigu (ex.: *Théo*), l'accent grave (ex.: *mère*), l'accent circonflexe (ex.: *côte*).

- L'accent circonflexe ou l'accent grave peuvent orthographier le son [è] (ex.: *forêt*, *progrès*) ou distinguer deux mots homophones (ex.: *le* **mur** / *l'âge* **mûr**).

Trait d'union (-)

- On emploie le trait d'union (-) pour :

  - former certains mots composés ;

    Ex.: *un arc-en-ciel*, *quatre-vingt-quatre*, *elle-même*, *au-dessous*

  - indiquer l'inversion du pronom sujet dans une phrase interrogative ;

    Ex.: *Suit-on le chemin ?*

    Note : Il faut insérer la lettre *t* entre deux traits d'union si le verbe se termine par la voyelle *e* ou *a* et s'il est suivi du pronom *il*, *elle* ou *on* (ex.: *Viendra-t-elle ?*).

  - relier les pronoms au verbe dans une phrase de type impératif.

    Ex.: *Donne-le-lui.*

1 Complète les phrases avec le mot homophone qui convient au sens.

| cou | coud | coup | coût |

a) Il fit un mouvement brusque qui lui infligea une blessure au _____.

b) La mère de Lili _____ des poupées ravissantes.

c) Le _____ de cet appareil est beaucoup trop élevé.

d) Quelqu'un frappa un _____ à la porte.

2 Encercle l'homophone entre parenthèses qui convient au sens de la phrase.

a) Elle portait un vêtement trop (court / cours / cour) et il faisait très froid.

b) Dans la (court / coure / cour), un écureuil se tenait près d'un oiseau.

c) Pendant tout le (court / cours / cour) de français, Nicolas regardait par la fenêtre.

d) Parfois, je (court / coure / cours) plusieurs kilomètres pour me mettre en forme.

3 Classe les mots selon la graphie de la lettre e en gras.

| biblioth**è**que | d**é**sert | esp**è**ce |

| esp**é**rer | pi**é**ger | premi**è**rement |

è devant une syllabe contenant un *e* muet	**é** devant une syllabe dont la voyelle est prononcée

4 Complète les mots.

é ou è ou ê

a) pi__ge

pi__ger

b) temp__te

temp__rature

c) extr__mité

extr__me

d) m__tre

m__trique

5 Coche les mots à l'intérieur desquels la lettre *e* en gras aurait dû s'écrire ê.

a) ☐ intér**e**t

b) ☐ intér**e**sser

c) ☐ étiqu**e**tte

d) ☐ b**e**te

e) ☐ progr**e**s

f) ☐ fen**e**tre

6 Ajoute un trait d'union (-) entre les mots en gras lorsque c'est nécessaire.

Essaie de prendre la vie du bon côté. **Regarde __ le** soleil se lever le matin et prends exemple sur lui : **vas __ y**, **sois __ lumineux**, **sois __ joyeux** et **mets __ en** plein la vue à tes amis.

Rends __ toi à l'école à bicyclette, **siffle __ un** air que tu aimes et, tu verras, tu passeras une belle journée. **Apprécie __ la**.

7 Conjugue chaque verbe au temps demandé suivi du pronom de conjugaison. Attention ! N'oublie pas le trait d'union et la lettre *t* lorsque c'est nécessaire.

a) Votre père (*venir*, ind. futur simple + *il*) _____ à la partie de balle molle ?

b) Comment (*pouvoir*, ind. présent + *on*) _____ le convaincre ?

c) (*Avoir*, ind. présent + *il*) _____ du travail à faire à la maison ?

Fais le test suivant afin de savoir où en sont rendues tes connaissances sur l'orthographe d'usage.

1. Complète les phrases avec le mot homophone qui convient au sens.

/6

| maire | mer | mère |

a) Le _____ de ce village balnéaire prend des mesures pour garder la _____ propre.

b) Lors de son séjour dans ce village, ma _____ a profité de la _____ tous les jours.

c) Ma _____ , en tant que guide touristique, a été accueillie par le _____ du village.

2. Coche la phrase dans laquelle le mot en gras est correctement orthographié.

/2

a) ☐ Ma mère m'indique la **voix** à suivre.

☐ J'ai perdu la **voix** pendant une journée.

☐ Tu **voix**, j'avais raison cette fois-ci.

b) ☐ Mon **paire** est plus vieux que ma mère.

☐ Un nombre **paire** se divise par deux.

☐ Ma **paire** de chaussures est usée.

3. Complète les mots en gras dans les phrases.   /6

é   ou   è

a) Le **m__tre** est l'unité de longueur du système **m__trique**.

b) Lors du spectacle, Liliane est partie pendant
l'**interm__de**, car elle a su par l'**interm__diaire** de
Mathilde que la deuxième partie était moins intéressante.

c) Il faut **s__cher** vos cheveux avec les **s__che-cheveux** mis
à votre disposition au vestiaire.

4. Ajoute un trait d'union (-) entre les mots en gras lorsque
c'est nécessaire.   /4

a) Ce chapeau est **le __ mien**; **celui __ là** est à toi.

b) Il a fallu que **quelques __ uns** arrivent en retard pour
que les **quelques __ autres** soient punis.

c) Si **ceux __ ci** sont **les __ miens**, **ceux __ là** sont **les __
tiens**.

d) **Les __ nôtres** sont les plus beaux alors que **les __
vôtres** sont les plus dispendieux.

TOTAL: /18

Calcule ton résultat au *Zapp-test*. Si tu as obtenu une note **inférieure à 14**, relis
la théorie portant sur l'orthographe d'usage (p. 12), puis essaie de corriger tes erreurs.

Si tu as obtenu une note **égale ou supérieure à 14**: bravo! Tu es maintenant un as
de l'orthographe d'usage!

 **Théorie** **Je comprends**

Sens des mots

- Un mot peut avoir des sens différents selon le contexte de la phrase.

- Le **sens propre** d'un mot est son sens habituel.

  Ex. : *Mon **cœur** bat vite !* (organe du corps)

- Le **sens figuré** d'un mot sert à créer une image.

  Ex. : *Nous nous rendrons au **cœur** de la ville.* (au centre)

- Une **expression** est un ensemble de mots qui a souvent un sens figuré. Les mots peuvent prendre un sens particulier lorsqu'ils sont groupés dans une expression.

  Ex. : *avoir le cœur sur la main* (être généreux)

  cogner des clous (s'endormir)

Note : Les différents contextes d'utilisation d'un mot sont souvent proches sur le plan du sens.

  Ex. : *le **cœur** de pomme, le **cœur** du sujet, le **cœur** de l'action*

Mots génériques et spécifiques

- Un mot **générique** désigne un ensemble de mots **spécifiques** à une classe d'êtres ou de choses.

  mot
  générique   mots spécifiques
  Ex. : *SPORT : hockey, natation, soccer, tennis, badminton*

Sens des prépositions

- La préposition exprime différents sens, dont :

    - le moyen (ex. : *avec, en, par*) ;   - le lieu (ex. : *à, chez, dans, sur*) ;

    - la possession (ex. : *à, de*) ;   - le temps (ex. : *après, depuis*) ;

    - le but (ex. : *afin de, pour*) ;   - l'opposition (ex. : *contre, malgré*) ;

    - la cause (ex. : *à cause de, par*) ;   - la privation (ex. : *sans*).

Synonymes et antonymes

- Les **synonymes** sont des mots qui ont à peu près le même sens.

    Ex. : Le mot *ami* est synonyme du mot *copain*.

- Les mots qui sont synonymes font partie de la même classe de mots.

    Ex. : Le nom *maison* est un synonyme du nom *habitation*.

    L'adjectif *belle* est un synonyme de l'adjectif *jolie*.

    Le verbe *finir* est un synonyme du verbe *terminer*.

- Les **antonymes** sont des mots dont le sens est contraire.

    Ex. : Le mot *laid* est un antonyme du mot *beau*.

- Les mots qui sont antonymes font partie de la même classe de mots.

    Ex. : Le nom *ami* est un antonyme du nom *ennemi*.

    L'adjectif *facile* est un antonyme de l'adjectif *difficile*.

    Le verbe *trouver* est un antonyme du verbe *perdre*.

❶ Écris un mot de sens proche pour chaque mot en gras.

| chérir | froid | glisse | pressentir |

a) **Aimer** ses enfants. _____

b) **Flairer** une bonne affaire. _____

c) Un vent **glacial** souffle. _____

d) La luge **avance** sur la neige. _____

❷ Le mot en gras est-il utilisé au sens propre ou au sens figuré?
Coche tes réponses.

	Sens propre	Sens figuré
a) un **coup** de main	☐	☐
b) un **trou** de mémoire	☐	☐
c) se tenir bien **droit**	☐	☐
d) la **lumière** du soleil	☐	☐

❸ Complète chaque expression à l'aide d'une partie du corps humain.

| main | mains | oreilles | pieds | pouces |

a) Mettre sa _____ au feu.

Sens : Être certain de quelque chose.

b) Dormir sur ses deux _____.

Sens : Être tranquille.

c) Se tourner les _____.

Sens : Ne rien faire.

d) Faire des _____ et des _____.

Sens : Faire l'impossible.

4 Complète chaque phrase avec le terme générique qui convient selon le sens.

bateaux	catastrophes	modèles

a) Les scientifiques connaissent de mieux en mieux les _____ naturelles comme les avalanches, les ouragans et les volcans.

b) Ce chantier maritime construit des cargos, des paquebots, des voiliers et même des brise-glace. Cela peut prendre cinq ans pour construire ces types de _____.

c) Les vendeurs de voitures nous offrent des berlines, des camionnettes, des utilitaires ; ce sont là différents _____ mis à la disposition des consommateurs.

5 Classe les mots spécifiques suivants sous le bon mot générique.

bibliothèque	bijoutier	libraire

lit	poissonnier	pupitre

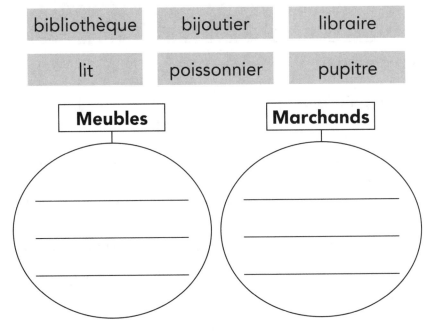

Meubles

Marchands

6 Écris la préposition qui convient dans chaque exemple.

Sens	Prépositions	Exemple
a) moyen	*avec, en, par*	Elle est partie _____ marchant.
b) lieu	*à, chez, dans, sur*	Lucas est allé _____ sa mère.
c) but	*afin de, pour*	Il est venu _____ toi.
d) temps	*à, avant, après, depuis, durant*	Il a joué _____ tout le mois.

7 Complète le texte avec les bonnes prépositions. Attention !
Les prépositions suivantes ne seront pas toutes utilisées.

| à | chez | dans | de | en | pour | vers |

La famille de Juan a émigré _____ la Bolivie _____ le Québec
en l'an 2000. Tous les membres de la famille devaient avoir un permis
_____ séjour. Il y avait beaucoup de formulaires _____ remplir et
ils ont dû présenter plusieurs documents.

Maintenant qu'ils sont installés _____ Rouyn-Noranda depuis un
certain temps, ils sont habitués aux hivers québécois. Ils vont _____
la patinoire et font des bonshommes _____ neige.

8 Écris le synonyme de chaque verbe.

| autoriser | conter | griller |

| partager | rassurer | saisir |

a) permettre ▪▪▪▶ _____

b) prendre ▪▪▪▶ _____

c) calmer ▪▪▪▶ _____

d) diviser ▪▪▪▶ _____

e) raconter ▪▪▪▶ _____

f) rôtir ▪▪▪▶ _____

9 Remplace chaque mot entre parenthèses par un antonyme de façon
à changer le sens du texte.

| banals | échec | vieux | violents |

Le nouveau film mettant en scène de (jeunes) _____
vampires a connu un (succès) _____ retentissant auprès
des ados. Contrairement aux personnages d'autres films du même
genre, les vampires de ce film sont (doux) _____. De plus,
les effets spéciaux sont (étonnants) _____.

Zapp-test Je fais le point

Fais le test suivant afin de savoir où en sont rendues tes connaissances sur le sens des mots.

1. Écris un mot de sens proche pour chaque mot en gras.

/4

| communication | diffuser | penser | rassembler |

a) La classe doit **réfléchir** au projet choisi. _____

b) Ce projet porte sur les réseaux d'**information** électroniques. _____

c) On prévoit **publier** les résultats du projet dans le prochain numéro du journal de l'école. _____

d) Nous devons nous **réunir** avant la fin du mois. _____

2. Complète les expressions en t'aidant du sens donné.

/4

| coupe | neige | nuit | yeux |

a) Être blanc comme _____.

Sens : Être innocent.

b) Regarder dans le blanc des _____.

Sens : Fixer le regard de l'autre.

c) Passer une _____ blanche.

Sens : Passer une nuit sans dormir.

d) Faire une _____ à blanc.

Sens : Raser complètement la végétation.

3. Choisis le terme générique qui convient aux termes spécifiques.

/4

| fleur | insecte | véhicule | ville |

a) mouche, coccinelle, fourmi, guêpe, sauterelle :

_____

b) Trois-Rivières, Québec, Hull, Montréal, Granby :

_____

c) tracteur, autobus, voiture, camion, motoneige :

_____

d) rose, tulipe, orchidée, marguerite, œillet :

_____

4. Complète chaque phrase avec la ou les prépositions qui conviennent selon le sens.

/5

| dans | en | sur |

a) Sébastien a fait son travail _____ une heure.

b) Ève a voyagé _____ train.

c) Ève a rencontré Benjamin _____ le train.

d) Ève et Benjamin ont déposé leur manteau _____ la patère, mais c'est _____ leur sac qu'ils ont mis leurs mitaines.

TOTAL :

/17

Calcule ton résultat au *Zapp-test*. Si tu as obtenu une note **inférieure à 14**, relis la théorie portant sur le sens des mots (p. 17-18), puis essaie de corriger tes erreurs.

Si tu as obtenu une note **égale ou supérieure à 14** : bravo ! Tu es maintenant un as du sens des mots !

Préfixes et suffixes

- Le **préfixe** est un élément placé au début d'un mot pour en former un autre. Chaque préfixe a un sens qui lui est propre. Il ne change pas la classe du mot.

préfixe   +   mot de base   =   mot dérivé   ➠   sens

Ex.: **anti**   +   *gel*   =   **anti***gel*   ➠   **contre** *le gel*

          n.   n.

- Le **suffixe** est un élément placé à la fin d'un mot pour en former un nouveau. Chaque suffixe a un sens qui lui est propre. Il peut changer la classe du mot.

mot de base   +   suffixe   =   mot dérivé   ➠   sens

Ex.: *enseigner*   +   **ant**   =   *enseign***ant**   ➠   *personne* **qui fait**

      v.   n.   **l'action d'***enseigner*

Formation des mots

- Les mots peuvent être formés de diverses façons, par exemple par **composition** (ex.: *portemanteau* = *porte* + *manteau*), par **troncation** (ex.: *ciné* pour *cinéma*) ou par **abréviation** (ex.: *M.* pour *Monsieur*).

- Un **mot-valise** est formé des parties de deux mots qui sont réunies pour nommer une nouvelle réalité.

Ex.: **courri***er* + **é***lectronique* = **courriel**

- La **composition savante** est la création d'un mot par la réunion d'éléments provenant du latin ou du grec. Le sens des éléments latins et grecs est indiqué dans certains dictionnaires usuels.

Ex.: **chronomètre** = élément d'origine grecque **chrono** (de *khrônos*, qui signifie *temps*) + élément d'origine grecque **mètre** (de *metron*, qui signifie *mesure*)

Pratique Je m'entraîne

1 Observe les mots du tableau, dans lesquels les suffixes sont en gras. En t'inspirant du sens de ces mots, associe les suffixes à leur sens.

| angle | groupe de | obsession | science |

	Suffixe	Sens du suffixe
a) douz**aine**	–aine	
b) poly**gone**	–gone	
c) zoo**logie**	–logie	
d) pyro**manie**	–manie	

2 Réunis un préfixe et un suffixe de manière à former le mot défini.

omni– ou **poly**– ou **radio**– ou **thermo**–

–gone ou **–graphie** ou **–mètre** ou **–vore**

a) Image de l'intérieur du corps : _____

b) Qui mange de tout : _____

c) Instrument qui mesure la chaleur : _____

d) Figure qui a plusieurs côtés : _____

3 Replace les lettres afin de former un mot qui commence par le préfixe en gras. Aide-toi de la définition.

a) o e i l g : **b i o** __ __ __ __ __

Définition : Science de la vie.

b) p r g h e a : **b i o** __ __ __ __ __ __ __

Définition : Personne qui écrit l'histoire d'une vie.

4 Écris le mot tronqué (de langue familière) formé à partir du mot donné.

Ex.: *cinéma* ⟹ *ciné*

a) ordinateur ⟹ __ __ __ __

c) télévision ⟹ __ __ __ __

b) professeur ⟹ __ __ __ __

d) gymnase ⟹ __ __ __

5 Écris les deux mots à l'origine de chaque mot-valise.
Aide-toi des définitions.

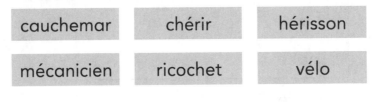

| cauchemar | chérir | hérisson |
| mécanicien | ricochet | vélo |

a) chérisson ⟹ _____ + _____

Définition : Personne qu'on aime malgré ses piquants.

b) ricochemar ⟹ _____ + _____

Définition : Mauvais rêve fait à répétition.

c) vélocanicien ⟹ _____ + _____

Définition : Spécialiste des bicyclettes.

6 Les abréviations ci-dessous pourraient être utilisées dans un dictionnaire.
Écris le mot représenté par chaque abréviation.

| adjectif | féminin | invariable | masculin |
| nom | préfixe | préposition | verbe |

a) inv. ⟹ _____

e) préf. ⟹ _____

b) v. ⟹ _____

f) f. (ou *fém.*) ⟹ _____

c) adj. ⟹ _____

g) m. (ou *masc.*) ⟹ _____

d) n. ⟹ _____

h) prép. ⟹ _____

Zapp-test **Je fais le point**

Fais le test suivant afin de savoir où en sont rendues tes connaissances sur la formation des mots.

1. Observe les mots du tableau, dans lesquels les préfixes sont en gras. En t'inspirant du sens de ces mots, associe les préfixes à leur sens.

/4

| deux | hors de | nombreux | rayon |

	Préfixe	Sens du préfixe
a) **bi**pède	bi–	
b) **multi**colore	multi–	
c) **radio**logie	radio–	
d) **extra**terrestre	extra–	

2. Ajoute le suffixe qui convient aux mots en gras dans les phrases.

/8

–**graphe**   ou   –**logie**   ou   –**logue**   ou   –**mètre**

a) Le **bio**_____ écrit la vie des personnes et le **photo**_____ capte les images.

b) La **psycho**_____ est la science de la pensée humaine alors que la **zoo**_____ est la science des animaux.

c) Le **climato**_____ étudie le climat et le **sismo**_____, les tremblements de terre.

d) Un **parco**_____ mesure la durée de stationnement et le **thermo**_____ mesure la température.

3. Écris le mot à l'origine du mot tronqué en gras en ajoutant les lettres manquantes.

/4

a) Les élèves ont organisé une **manif**_____ pour dénoncer le trop grand nombre de devoirs.

b) La **pub**_____ télévisée influence beaucoup les jeunes et les moins jeunes.

c) Les élèves du secondaire ont leur cours de science dans un **labo**_____.

d) J'ai réussi mon cours de **math**_____ sans peine.

4. Choisis les deux mots qui ont servi à former chaque mot-valise.

/4

aéroport	bavarder	cinéaste	clavier
courriel	hélicoptère	poubelle	vidéo

a) vidéaste ➠ _____ + _____

b) héliport ➠ _____ + _____

c) clavarder ➠ _____ + _____

d) pourriel ➠ _____ + _____

TOTAL : **/20**

Calcule ton résultat au *Zapp-test*. Si tu as obtenu une note **inférieure à 16**, relis la théorie portant sur la formation des mots (p. 24), puis essaie de corriger tes erreurs.

Si tu as obtenu une note **égale ou supérieure à 16** : bravo ! Tu es maintenant un as de la formation des mots !

Classes et groupes de mots

Fais le test suivant afin d'évaluer tes connaissances sur les classes et les groupes de mots.

Bloc 1 Classes de mots variables

1. Dans le texte suivant :

– surligne les trois noms collectifs ;

– encercle le nom composé ;

– souligne les deux noms qui désignent des réalités abstraites.

/6

> La population de ce pays subissait la sécheresse depuis plusieurs années. On pouvait difficilement y trouver des fruits et des légumes frais, pas même du brocoli, du chou-fleur ou des carottes. Parfois, d'autres pays envoyaient de la nourriture pour permettre à des familles de se nourrir. Inutile de dire que le peuple vivait dans la tristesse et la pauvreté.

2. Encercle le déterminant indéfini dans chaque phrase.

/4

a) Dans plusieurs pays, on oblige les enfants à travailler en très bas âge.

b) Aucun enfant ne devrait être obligé de travailler.

c) L'Unicef est un organisme humanitaire mondial qui dénonce toute exploitation infantile.

d) Au début du XXe siècle, même au Canada, certaines usines exploitaient les enfants.

3. Classe les adjectifs en gras dans le bon ensemble selon qu'ils sont qualifiants ou classifiants.

/4

une **belle** chanson   une chanson **francophone**

une danse **africaine**   une danse **élégante**

Adjectifs qualifiants	Adjectifs classifiants
_____ _____	_____ _____

4. Encercle les cinq pronoms dans le texte.

/5

La fête nationale du Québec est célébrée le 24 juin. Pendant la soirée, on fête autour d'un immense feu de camp qui est parfois accompagné de feux d'artifice. Ceux-ci illuminent le ciel. On profite aussi de cette fête pour organiser des repas communautaires. Chacun souligne l'événement à sa façon.

5. Écris entre parenthèses les mots qui sont remplacés par les pronoms en gras.

/4

à Benoît   la bestiole   ses enfants   son père

Benoît demande à ses enfants ce qu'**ils** (_____) ont fait durant l'après-midi. L'autre jour, son plus jeune enfant, Édouard, l'(_____) a surpris en rentrant avec une couleuvre. Tout content, Édouard a voulu **lui** (_____) donner la bestiole. Benoît a reculé et a demandé à Édouard de **la** (_____) relâcher.

6. Coche les phrases qui contiennent un verbe attributif. **/3**

  a) ☐ Au marché, nous avons découvert de nouveaux
  légumes qui semblaient délicieux.

  b) ☐ Les fermiers nous ont présenté des fruits exotiques.

  c) ☐ Les litchis, les carambolles et les papayes étaient
  surprenants par leur forme et leur couleur.

  d) ☐ Nous avons connu de nouvelles variétés de pommes.

  e) ☐ Des fraises hâtives sont aussi disponibles.

Bloc 2 Classes de mots invariables

7. Forme des adverbes qui se terminent par le suffixe *–ment*
à partir des adjectifs suivants. **/5**

  a) lent ➠ _____

  b) rare ➠ _____

  c) suffisant ➠ _____

  d) patient ➠ _____

  e) subit ➠ _____

8. Surligne les sept prépositions dans le texte. **/7**

> Les papillons volaient dans les champs. Les enfants
> éclataient de joie. L'été était à nos portes et le plaisir
> était au rendez-vous. Le panier de Laurie était rempli
> de fraises juteuses. La nature resplendissait autour de
> nous. Vive l'été !

9. Encercle la ou les conjonctions dans chaque phrase. /4

a) Une espèce animale est menacée lorsque l'activité humaine nuit à sa santé.

b) Les espèces animales sont souvent menacées, car leur environnement est détérioré par l'activité humaine.

c) Si on ne fait rien, le panda géant, le cacatoès et le tigre du Bengale disparaîtront de la planète.

Bloc 3 Groupes de mots

10. Coche les groupes du nom (GN) qui présentent la construction suivante. /3

dét. + n. + prép. + GN

a) ☑ les histoires de ma grand-mère

b) ☐ une joyeuse bande d'amis

c) ☑ le chandail de ma cousine

d) ☑ les élèves de son école

e) ☐ une belle harmonie

11. Dans chaque phrase, surligne le verbe qui constitue le noyau du groupe du verbe (GV) encadré. /5

a) Le lieutenant [commandait l'équipe du vaisseau spatial].

b) L'équipage [fuyait l'attaque d'un objet non identifié].

c) La vitesse de l'objet non identifié [dépassait celle du son].

d) Bientôt, il [frapperait le vaisseau].

e) Le lieutenant [donna l'ordre suivant] : « Actionnez les boucliers de secours ! »

CLASSES ET GROUPES DE MOTS

12. Coche la phrase dans laquelle le GV encadré correspond à la construction suivante. /1

v. + prép. + GN

a) ☑ Chaque vendredi soir, toute la famille
   | joue à un jeu de société |.

b) ☐ Chaque vendredi soir, toute la famille
   | regarde la télévision |.

Compilation des résultats

Bloc 1

Question 1 : _____ /6   Question 4 : _____ /5

Question 2 : _____ /4   Question 5 : _____ /4

Question 3 : _____ /4   Question 6 : _____ /3   **Total : _____ /26**

Si tu as obtenu une note **inférieure à 21**, lis les explications et fais les exercices proposés aux pages 35 à 46. Tu pourras améliorer rapidement tes connaissances sur **les classes de mots variables**.

Bloc 2

Question 7 : _____ /5   Question 9 : _____ /4

Question 8 : _____ /7   **Total : _____ /16**

Si tu as obtenu une note **inférieure à 13**, lis les explications et fais les exercices proposés aux pages 47 à 53. Tu pourras améliorer rapidement tes connaissances sur **les classes de mots invariables**.

Bloc 3

Question 10 : _____ /3   Question 12 : _____ /1

Question 11 : _____ /5   **Total : _____ /9**

Si tu as obtenu une note **inférieure à 8**, lis les explications et fais les exercices proposés aux pages 54 à 58. Tu pourras améliorer rapidement tes connaissances sur **les groupes de mots**.

Bravo !

Tu as obtenu une note égale ou supérieure à celle indiquée dans chacun des blocs ? Félicitations ! Tu maîtrises bien **les classes et les groupes de mots**. Continue à t'améliorer en complétant le dossier : tu deviendras un as !

Nom

- Le nom sert à désigner différentes réalités : des personnes et des personnages, des animaux, des objets, des lieux, des sentiments, des astres, des loisirs, des matières scolaires, etc.

- Le nom est **donneur d'accord** ; il donne son genre (masculin ou féminin) et son nombre (singulier ou pluriel) au **déterminant** et à l'**adjectif**.

- Le nom est **concret** quand il sert à désigner des êtres vivants (personnes et personnages, animaux, insectes, etc.) ou des choses (objets, lieux, astres, loisirs, matières scolaires, etc.).

  Ex. : *tigre*, *poire*, *salle*

- Le nom est **abstrait** quand il sert à désigner des sentiments, des émotions, des idées, des concepts, etc.

  Ex. : *fierté*, *pensée*, *confiance*

- Le nom peut être **simple** ou **composé**.

  Ex. : *pomme*, *ciel* (noms simples)
  pomme de terre, *arc-en-ciel* (noms composés)

- Le nom est **collectif** lorsqu'il désigne un ensemble d'êtres ou de choses.

  Ex. : *équipe*, *groupe*, *classe*, *dizaine*

Déterminant

- Le déterminant introduit un nom dans la phrase.

- Il existe plusieurs sortes de déterminants. Le déterminant :

  - **défini** (*le*, *la*, *l'* et *les*) introduit une réalité connue ;

  - **indéfini** (*un*, *une* et *des*) introduit une réalité qui n'est pas connue ou qui est imprécise ;

Note : D'autres déterminants indéfinis introduisent une réalité dont la quantité n'est pas précise (*aucun*, *aucune*, *plusieurs*, *chaque*, etc.).

– **démonstratif** (*ce*, *cet*, *cette*, *ces*) permet de désigner ou de montrer une personne, un animal, une chose ou toute autre réalité dont on parle ;

– **possessif** (*mon*, *ta*, *ses*, etc.) indique une relation d'appartenance ou de possession ;

– **numéral** (*un*, *trois*, *dix-sept*, etc.) précise le nombre de personnes, d'animaux, d'objets ou de toute autre réalité que le nom désigne ;

– **exclamatif** (*quel*, *quelle*, *quels*, *quelles*, etc.) est utilisé devant le nom quand on veut exprimer une émotion ;

– **interrogatif** (*quel*, *quelle*, *quels*, *quelles*, *combien de*) est utilisé devant le nom quand on veut poser une question.

Note : Certains **déterminants** sont **contractés** (*au*, *aux*, *du* et *des*) ; ils sont la fusion d'une préposition et d'un déterminant (*au = à + le* ; *aux = à + les* ; *du = de + le* ; *des = de + les*).

Adjectif

- L'adjectif sert à qualifier ou à décrire une personne, un animal, un objet ou toute autre réalité.

- L'adjectif est **qualifiant** s'il permet de qualifier (de façon positive, négative ou neutre) une personne, un animal, un objet ou toute autre réalité.

  Ex. : *une forêt **dense*** ; *une **sombre** journée **pluvieuse***

- L'adjectif est **classifiant** s'il sert à décrire ou à définir une réalité. Il précise alors le nom en le classant dans une catégorie.

  Ex. : *un fait **économique*** ; *la salle **municipale***

- L'adjectif peut être placé après le verbe *être* ou après un autre verbe attributif (*devenir*, *paraître*, *sembler*, etc.). Il s'agit alors d'un **attribut**.

  Ex. : *Camille est **douée**.*

1 Dans les phrases suivantes :

- surligne les noms simples ;

- encercle les noms composés.

a) Marie-Claude est une maman attentive.

b) Après l'averse, nous avons observé un bel arc-en-ciel.

c) Un chemin de fer traverse la rue principale.

2 Précise si chaque nom en gras désigne une réalité concrète ou abstraite en cochant la colonne appropriée.

	Réalité concrète	Réalité abstraite
a) un **chandail** pour être au chaud	☐	☐
b) une soirée de **partage** entre amis	☐	☐
c) l'**amour** de ma grand-mère	☐	☐
d) le **vélo** de course de Roxane	☐	☐
e) les **pensées** de Julien	☐	☐

3 Écris un déterminant possessif pour compléter chaque groupe du nom (GN). Tiens compte des indications entre parenthèses.

a) _____ bicyclette jaune (à moi)

b) _____ livre de contes (à toi)

c) _____ bonnes intentions (à vous)

d) _____ décision (à nous)

e) _____ dessins réussis (à elles)

4 Ajoute un déterminant exclamatif dans chaque phrase.

Quel	Quelle	Quelles	Quels

a) Je me disais : « _____ situation bizarre ! »

b) Au concert, un des spectateurs lança : « _____ style de musique extraordinaire ! »

c) _____ ennuis terribles nous avons eus !

d) _____ chansons inspirantes tu m'as fait découvrir !

5 Précise si chaque adjectif en gras est qualifiant ou classifiant en cochant la colonne appropriée.

Astuce ! On peut faire précéder un adjectif qualifiant du mot *très*.

	Adjectif qualifiant	Adjectif classifiant
a) un **grand** champ	☐	☐
b) une compétition **provinciale**	☐	☐
c) un parc **municipal**	☐	☐
d) une dame **coquette**	☐	☐

6 Souligne un adjectif attribut dans chaque phrase.

a) L'intrigue de ce roman est captivante ; impossible d'interrompre ma lecture !

b) Ce clown semble si triste !

c) Tes parents sont très fiers de ta performance à la compétition.

d) Quand j'ai voulu lui expliquer mon point de vue, elle est devenue furieuse.

e) Les habitants de ce pays dévasté par la catastrophe sont démunis.

Fais le test suivant afin de savoir où en sont rendues tes connaissances sur le nom, le déterminant et l'adjectif.

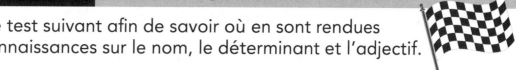

1. Coche les groupes de mots qui contiennent un nom collectif.

/3

a) ☐ un groupe de musiciens

b) ☐ une meute de loups

c) ☐ un oiseau du paradis

d) ☐ un récit historique

e) ☐ un amas d'ordures

2. Ajoute un déterminant interrogatif dans chaque phrase.

/4

a) L'enseignante lui demanda : « Q_____ activité préfères-tu ? »

b) Q_____ cours vous plaisent le plus ?

c) C_____ pages Juliette a-t-elle lues ?

d) Q_____ amie veux-tu inviter à la fête ?

3. Complète les phrases en ajoutant les bons déterminants.

/6

| l' | la | le | des | un | une |

a) Le Soleil est _____ astre du jour et _____ Lune, l'astre de la nuit.

b) L'une de mes amies rêve d'aller sur la Lune _____ jour.

c) Il faut bien avoir _____ rêves !

d) Cependant, il est loin _____ jour où l'on pourra aller sur la Lune sans dépenser _____ fortune !

4. Ajoute l'adjectif qui complète le verbe attributif en gras. Tiens compte du sens de la phrase.

/4

absents   belle   décidé   remplie

a) Cette journée **sera** la plus _____ de la semaine.

b) Les nuages **demeurent** _____ du ciel depuis le matin.

c) Le soleil **semble** _____ à briller toute la journée.

d) Bref, cette journée **sera** _____ de soleil.

5. Surligne les noms qui sont complétés par les adjectifs en gras.

/5

Les histoires de sorcières sont **effrayantes**. La plupart du temps, les sorcières sont **remplies** de mauvaises intentions.

Dans certaines histoires, elles transforment leurs victimes en animaux. Ces animaux sont **prisonniers** de leur **nouveau** corps jusqu'à ce qu'une fée les délivre. Les fées sont **puissantes** et bonnes.

TOTAL : /22

Calcule ton résultat au *Zapp-test*. Si tu as obtenu une note **inférieure à 18**, relis la théorie portant sur le nom, le déterminant et l'adjectif (p. 35-36), puis essaie de corriger tes erreurs.

Si tu as obtenu une note **égale ou supérieure à 18** : bravo ! Tu es maintenant un as de ces classes de mots variables !

Classes de mots variables : pronom, verbe

Pronom

- Le pronom est un mot variable. Il est **donneur d'accord**; il donne son genre et son nombre à l'adjectif en relation avec lui, ou sa personne et son nombre au verbe dont il est le sujet.

- Le pronom peut servir de mot substitut (il remplace alors un mot ou un groupe de mots) ou désigner des personnes qui communiquent.

  Ex.: **Il** *est fâché, car **tu** portes un chandail comme **le sien**.*

  Dans cet exemple, les pronoms *Il* et *tu* désignent des personnes qui communiquent, et le pronom *le sien* remplace le groupe de mots *un chandail*.

- Le **pronom personnel** de conjugaison (*je, tu, il, elle, on, nous, vous, ils, elles*) sert à conjuguer les verbes. Les autres pronoms personnels (*me, te, lui, eux, se, leur,* etc.) sont des pronoms personnels compléments.

- Le **pronom démonstratif** (*ce, ceci, cela, ceux, celles, celle-là,* etc.) remplace un nom ou un groupe de mots que l'on désigne.

  Ex.: *Ces pommes sont plus sucrées que **celles-ci**.*

- Le **pronom possessif** (*le mien, la nôtre, les leurs,* etc.) remplace un nom ou un groupe de mots et désigne une relation d'appartenance ou de possession.

  Ex.: *Ta bicyclette est rouge et **la mienne** est bleue.*

- Le **pronom indéfini** (*aucune, chacun, certaines, d'autres, l'un, quelqu'un, on, personne, plusieurs, tout,* etc.) remplace un mot ou un groupe de mots et désigne souvent une réalité qui n'est pas précise ou qui n'est pas connue dans le contexte.

  Ex.: *Ces garçons ne savent pas ce qu'ils veulent; **l'un** dit oui et **l'autre** dit non.*

- Le **pronom interrogatif** (*quel, laquelle, qui, que, quoi*, etc.) sert à poser une question. Il est généralement devant un verbe.

  Ex. : **Lequel** *choisirez-vous ?*

- Le **pronom relatif** (*qui, que, quoi, dont, où, lequel*, etc.) remplace un groupe de mots dans une phrase.

  Ex. : *La magnifique ville* **dont** *je parle est située tout près d'ici.*

  Dans cet exemple, le pronom *dont* remplace *La magnifique ville*.

Verbe

- Dans une phrase, le verbe exprime une action ou attribue une caractéristique au sujet.

  Ex. : *Lilia* **parle** *au téléphone. Elle* **est** *attentive.*

- Le verbe est **receveur d'accord** ; il reçoit la personne et le nombre du pronom sujet ou du noyau du GN sujet. Sa forme peut aussi changer selon le moment qu'il exprime (temps de conjugaison).

- Pour repérer un verbe conjugué, on peut :

  – l'encadrer par *ne... pas* ou *n'... pas.* S'il s'agit d'un verbe conjugué à un temps composé, on encadre l'auxiliaire (*avoir* ou *être*) ;

  – le conjuguer à un autre temps.

  Ex. : *Olivier* **a accompagné** *son père au centre-ville.*

  ➡ *Olivier* **n'a pas** *accompagné son père au centre-ville.*

  ➡ *Olivier* **accompagne** *son père au centre-ville.*

- Le **verbe attributif** est un verbe accompagné d'un groupe de mots attribut du sujet. Les verbes *être, paraître, sembler, devenir, demeurer* et *rester* sont les principaux verbes attributifs.

  Note : Lorsqu'on ne sait pas si un verbe est attributif, on essaie de le remplacer par le verbe *être* (ex. : *La soirée* **semble** *tranquille.* ➡ *La soirée* **est** *tranquille.*).

1 Complète chaque phrase avec le pronom personnel qui convient.

| elle | ils | je | nous | tu |

a) Pendant ce temps, _____ couraient autour de la maison.

b) Pendant que _____ vous fais patienter, _____ est très fâchée.

c) Je trouve que _____ insistes beaucoup pour savoir ce qui est arrivé.

d) La situation est délicate et _____ le savons.

2 Replace les lettres pour former un pronom indéfini qui complète la phrase.

a) u u u e l q q n

Est-ce que __ __ __ __ __ __ ' __ __ pourrait me donner l'heure ?

b) l s r u u e i s p

Nous en connaissons __ __ __ __ __ __ __ __ __.

c) u o t t

Il faudra __ __ __ __ refaire, du début à la fin.

3 Surligne le nom que le pronom relatif en gras remplace.

a) Les artistes peintres représentent la réalité d'une manière **qui** est souvent très originale.

b) Le peintre **que** j'ai rencontré à l'exposition la semaine dernière adore les enfants.

c) Il dessine tous les enfants **qu'**il rencontre.

d) Il crée de nombreuses œuvres dans **lesquelles** on voit des enfants pleurer, s'amuser, jouer avec leur chien, etc.

Classes de mots variables : pronom, verbe

4 Écris le bon pronom possessif dans chaque phrase.

| la sienne | le mien | le tien | les leurs |

a) Mon père est électricien ; _____ est plombier.

b) Ta mère va à la réunion ; _____ va au cinéma.

c) Ton père est plombier ; _____ est électricien.

d) Mes parents sont au travail ; _____ sont en voyage.

5 Coche la phrase dans laquelle le mot en gras est un verbe.

a) ☐ Il reste de glace devant la **menace**.

☐ Un orage imprévu **menace** de gâcher la fête prévue à l'extérieur.

b) ☐ Sa cousine **demeure** dans la ville voisine.

☐ La **demeure** de sa tante est vraiment accueillante.

c) ☐ Le nouveau voisin **plante** des fleurs devant sa maison.

☐ Le lierre est une **plante** grimpante et rampante.

6 Surligne les verbes attributifs dans les phrases.

a) Les pompiers paraissent maîtriser la situation.

b) Leur métier semble dangereux.

c) Les pompiers restent calmes devant les flammes.

d) La cause de l'incendie demeure inexpliquée.

Classes de mots variables : pronom, verbe

Fais le test suivant afin de savoir où en sont rendues tes connaissances sur le pronom et le verbe.

1. Encercle le pronom démonstratif entre parenthèses qui convient.

/4

   a) La fillette qui s'est blessée est (ce / celle / celui) qui porte le chapeau bleu.

   b) L'enseignant qui marche dans la cour est (ce / celle / celui) qui nous a accompagnés au cinéma ; l'enseignante qui joue au ballon est (ce / celle / celui) qui nous enseigne la musique.

   c) Les romans que nous lisons sont captivants ; (celui-ci / celle / celui) que je lis présentement traite de chevalerie.

2. Surligne le nom remplacé par le pronom en gras lorsque c'est possible.

/2

   a) Mon frère est sportif ; **il** pratique le tennis, le vélo, le ski alpin et la course.

   b) L'hiver, lorsqu'**il** neige, j'en profite pour passer d'agréables soirées à la maison.

   c) Quant à Coralie, **elle** passe son temps libre à bâtir des châteaux de neige.

   d) Lorsque l'hiver arrive, **personne** ne peut empêcher Matéo de sortir ses skis.

3. Surligne tous les verbes conjugués dans le texte.

/6

> Le service de garde scolaire offre des activités intéressantes. Le mois dernier, lors de la journée pédagogique, nous sommes allés dans un parc régional. Nous avons observé une variété de conifères et nous avons croisé plusieurs animaux. Lors de la prochaine sortie, nous visiterons une ferme. Ce sera vraiment amusant!

4. Coche les phrases qui contiennent un verbe attributif.

/3

a) ☐ À l'école, nous avons fait un livre de recettes.

b) ☐ Mon père est content depuis qu'il a appris la bonne nouvelle.

c) ☐ Ce dessert au chocolat semble délicieux.

d) ☐ As-tu l'impression que le ciel devient gris?

e) ☐ Lorsque j'irai au centre commercial, j'achèterai un joli pantalon en coton.

TOTAL : /15

Calcule ton résultat au *Zapp-test*. Si tu as obtenu une note **inférieure à 12**, relis la théorie portant sur le pronom et le verbe (p. 41-42), puis essaie de corriger tes erreurs.

Si tu as obtenu une note **égale ou supérieure à 12** : bravo! Tu es maintenant un as de ces classes de mots variables!

Classes de mots invariables

Adverbe

- L'adverbe est un mot **invariable** qui peut s'employer seul. Il sert à modifier le sens d'un verbe, d'un adjectif ou d'un autre adverbe.

  Ex. : *Il t'aime **peut-être** beaucoup.*

  Dans cet exemple, l'adverbe *peut-être* modifie le sens de l'adverbe *beaucoup*.

- Plusieurs adverbes se terminent par le suffixe –**ment**. En règle générale, ces adverbes sont formés à partir de la **forme féminine de l'adjectif**, mais ce n'est pas toujours le cas :

  - lorsque l'adjectif au masculin se termine par une voyelle, on ajoute –*ment* au masculin ;

  - lorsque l'adjectif au masculin se termine par le suffixe –*ant* ou –*ent*, on remplace ces finales respectivement par –*amment* ou –*emment*.

  Ex. : *délicat* ➟ *délicate* ➟ *délicate**ment*** (règle générale)

  triste ➟ *triste**ment***; *cour**ant*** ➟ *cour**amment***; *fréqu**ent*** ➟ *fréqu**emment*** (règles particulières)

  Note : Certains adverbes en –**ment** ont une forme irrégulière (ex. : *gentil* ➟ *genti**ment***).

- Il existe plusieurs adverbes selon le sens (lieu, manière, quantité, temps, doute, affirmation, etc).

  Ex. : *partout* (lieu), *bien* (manière), *peu* (quantité), *toujours* (temps), *peut-être* (doute), *vraiment* (affirmation)

Préposition

- La préposition est un mot **invariable** qui sert à introduire un groupe de mots.

  Ex.: *Félix retourne **à** la maison.*

- La préposition exprime différents sens, dont:

  – le moyen (ex.: *avec, en, par*); –   le lieu (ex.: *à, chez, dans, sur*);

  – la possession (ex.: *à, de*); –   le temps (ex.: *après, avant, depuis*);

  – le but (ex.: *afin de, pour*); –   l'opposition (ex.: *contre, malgré*);

  – la cause (ex.: *à cause de, par*); –   la privation (ex.: *sans*).

Conjonction

- La conjonction est un mot **invariable** qui sert à établir un lien entre des mots, des groupes de mots ou des phrases.

  Ex.: *Je veux, **mais** je ne peux pas. Toi, tu veux **et** tu peux.*

- Une conjonction peut permettre d'insérer une phrase dans une autre en précisant le lien de sens (temps, but, cause, etc.) de la phrase insérée.

  Ex.: *Je connais tout **parce que** j'apprends vite.* (cause)

- Voici quelques conjonctions souvent utilisées: *mais, ou, et, donc, car, parce que, puisque, comme, si, quand, lorsque, pendant que.*

1 Remplis le tableau suivant.

Adjectif au masculin	Adjectif au féminin	Adverbe en –*ment*
fou		follement
jaloux	jalouse	
habituel		habituellement
franc		

Classes de mots invariables

2 Forme des adverbes en –*ment* à partir des adjectifs suivants. Attention ! Ces adverbes ne suivent pas la règle générale de formation.

a) résolu ➠ _____

b) méchant ➠ _____

c) spontané ➠ _____

d) prudent ➠ _____

e) constant ➠ _____

f) violent ➠ _____

3 Ajoute un adverbe dans chaque phrase en tenant compte du sens donné entre parenthèses.

dehors	ensemble	probablement	toujours	trop

a) Apprendre demande (temps) _____ des efforts.

b) Certains élèves éprouvent (doute) _____ moins de difficultés que d'autres.

c) En travaillant (manière) _____, on peut s'aider.

d) Lorsque la pression est (intensité) _____ forte, on peut aller jouer (lieu) _____.

4 Pour chacune des phrases du tableau :

- encercle le mot dont le sens est modifié par l'adverbe en gras ;
- précise la classe de ce mot en cochant la colonne appropriée.

	Adjectif	Adverbe	Verbe
Ex. : *Ces parcs sont **très** fréquentés en été.*	☑	☐	☐
a) On y trouve **facilement** des jeux d'eau.	☐	☐	☐
b) Les jours de canicule, les enfants peuvent **presque** toujours y jouer.	☐	☐	☐
c) Des bancs permettent aux parents de **bien** s'installer pour surveiller leurs enfants.	☐	☐	☐

5 Remplis la grille avec des prépositions en t'aidant des sens donnés.

Horizontalement

a) privation

b) possession

c) opposition

d) temps

Verticalement

e) moyen

f) moyen

g) temps

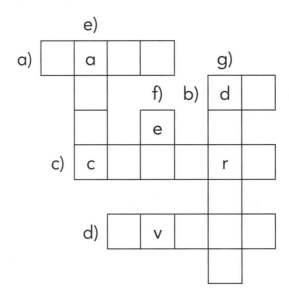

6 Encercle la bonne préposition en tenant compte du contexte de la phrase.

a) Le fil de l'araignée s'enroulait (près de / autour de / sur) la fourmi qui s'était aventurée (à / dans / de) sa toile.

b) La jeune fourmi pensait que cette toile était un terrain (à / de / avec) jeu accueillant (sans / par / pour) passer du temps.

c) Elle ne savait pas que la toile de l'araignée servait (à / de / contre) emprisonner les insectes qui s'y aventuraient.

7 Replace les lettres pour former des conjonctions.

a) i s m a ➡ _ _ _ _ _

b) u o ➡ _ _

c) q d n a u ➡ _ _ _ _ _ _

d) t e ➡ _ _

e) r a c ➡ _ _ _ _

f) n o d c ➡ _ _ _ _ _

g) r s l o u e q ➡ _ _ _ _ _ _ _ _

h) c r p a e ➡ _ _ _ _ _ _ que

8 Encercle la conjonction dans chacune des phrases suivantes.

a) Plusieurs animaux sont très connus, mais d'autres le sont moins.

b) De la taille d'un rat, le tarsier est un animal nocturne qui ne peut pas marcher ; il se déplace donc en sautant.

c) L'aye-aye a des incisives de rongeur, des oreilles de chauve-souris et une queue d'écureuil.

d) L'hippocampe feuillu se nomme ainsi parce qu'il ressemble à une algue.

Chapitre 5

Zapp-test Je fais le point

Fais le test suivant afin de savoir où en sont rendues tes connaissances sur les classes de mots invariables.

Classes de mots invariables

1. Forme des adverbes en *–ment* à partir des adjectifs suivants.

a) impatient ⟹ _____

b) vif ⟹ _____

c) savant ⟹ _____

d) vrai ⟹ _____

/4

2. Pour chacune des phrases suivantes :

– encercle l'adverbe présent dans la phrase ;

– précise le sens de cet adverbe.

| doute | lieu | manière | temps |

a) Nous arriverons bientôt à la montagne. _____

b) C'est loin de la maison. _____

c) Notre motoneige fonctionne bien. _____

d) Nous serons peut-être à l'heure. _____

/8

3. Encercle les prépositions dans les phrases.

a) Ils ont grandi dans des maisons voisines.

b) Quand ils étaient enfants, ils jouaient autour de leur maison.

c) Ils ne se sont plus quittés depuis ce temps.

d) Elle prend le train pour Québec.

/4

4. Classe les prépositions suivantes selon leur sens.

/8

afin de   avant   avec   chez

depuis   en   pour   sur

Temps	But

Lieu	Moyen

5. Encercle les six conjonctions dans le texte.

/6

Une espèce animale est vulnérable lorsque sa survie est menacée à long terme. C'est le cas de la tortue des bois, de l'aigle royal et de l'ours blanc.

Une espèce est menacée quand sa disparition est presque certaine. Plusieurs espèces sont menacées, comme la tortue molle à épines, le pluvier siffleur et le carcajou. Il faut donc prendre des mesures appropriées pour les préserver.

TOTAL :

/30

Calcule ton résultat au *Zapp-test*. Si tu as obtenu une note **inférieure à 24**, relis la théorie portant sur les classes de mots invariables (p. 47-48), puis essaie de corriger tes erreurs.

Si tu as obtenu une note **égale ou supérieure à 24** : bravo ! Tu es maintenant un as des classes de mots invariables !

Groupes de mots

Groupe du nom (GN)

- Le groupe du nom (GN) est formé d'un **nom**, seul ou accompagné d'autres mots. Ce nom est le **noyau** du GN et il ne peut pas être effacé.

- Voici des constructions possibles du GN :

  - **n.** seul (ex. : ***Mia***) ;

  - dét. + **n.** (ex. : *le **stylo***) ;

  - dét. + **n.** + adj. (ex. : *la **pomme** rouge*) ;

  - dét. + **n.** + GN (ex. : *ma **cousine** Alice*) ;

  - dét. + **n.** + prép. + GN (ex. : *la **voiture** de ma mère*) ;

  - dét. + adj. + **n.** (ex. : *le bel **arbre***) ;

  - dét. + adj. + **n.** + adj. (ex. : *le gros **homme** fort*) ;

  - dét. + adv. + adj. + **n.** (ex. : *de très beaux **endroits***).

- Dans un GN, le nom noyau peut avoir un ou des compléments qui en dépendent. Ces **compléments du nom** donnent plus d'information sur le nom qu'ils complètent. Ils peuvent être, par exemple :

  - un ou des adjectifs ;

           adj.   adj.

    Ex. : *de **gros** hommes **méchants***

  - un groupe formé d'une préposition suivie d'un GN.

                         GN

                prép. n.   adj.

    Ex. : *des tables **en** **bois massif***

Groupe du verbe (GV)

- Le groupe du verbe (GV) est formé d'un **verbe conjugué**, seul ou accompagné d'autres mots. Ce verbe est le **noyau** du GV et il ne peut pas être effacé.

- Voici des constructions possibles du GV :

  – **v.** seul ;

  GV

  | v. |

  Ex. : *Les oiseaux* **chantent**.

  – **v.** + adj. ;

  GV

  | v. | adj. |

  Ex. : *Ces fleurs* **sont** *odorantes*.

  – **v.** + adv. + adj. ;

  GV

  | v. | adv. | adj. |

  Ex. : *Mes idées* **semblent** *vraiment bonnes*.

  – **v.** + GN ;

  GV

  | v. | GN |

  Ex. : *Ma copine* **porte** *une robe superbe*.

  – **v.** + prép. + GN.

  GV

  | v. | prép. | GN |

  Ex. : *Jonathan* **participera** *à* *ce grand championnat*.

Note : Certains verbes doivent absolument être accompagnés d'autres mots. C'est le cas, entre autres, des verbes *avoir*, *être*, *faire*, *sembler*, *devenir*, *quitter*, *mettre* et *utiliser*.

Groupes de mots

Groupes de mots

1 Coche les groupes du nom (GN) qui présentent la construction suivante.

dét. + adj. + n.

a) ☐ plusieurs grandes personnes

b) ☐ ce court reportage

c) ☐ cette robe soyeuse

d) ☐ des étudiants motivés

e) ☐ de grands hommes

2 Classe les GN selon leur construction.

ce cheval de trait	ce cheval fort	un jour de pluie

un jour pluvieux	une voiture de luxe	une voiture luxueuse

dét. + n. + adj.	dét. + n. + prép. + n.

3 Quel GN présente la construction suivante ? Coche ta réponse.

dét. + n. + adj. + prép. + GN

a) ☐ le chandail bleu

b) ☐ le chandail de Nicolas

c) ☐ le chandail bleu de Nicolas

d) ☐ le beau chandail bleu de Nicolas

4 Indique la construction de chaque groupe du verbe (GV) encadré. Écris seulement la lettre correspondante.

> **A. v. + adj.**   **B. v. + adv. + adj.**

a) Cet homme │ était heureux │. __

b) Tous les matins, la vie │ semblait bonne │. __

c) Il │ paraissait tellement heureux │. __

d) Les gens aussi heureux │ sont rares │. __

5 Surligne les noyaux, c'est-à-dire les verbes conjugués, dans les GV encadrés.

a) Souvent, les films de science-fiction │ font honneur à des superhéros │.

b) Ces derniers │ sont aux prises avec des situations plus époustouflantes les unes que les autres │.

c) Spiderman │ emprisonnait les vilains dans sa toile d'araignée │.

d) Superman │ volait dans le ciel │ au secours des gens qui │ couraient un grave danger │.

6 Coche la construction de chaque GV encadré.

a) Les poules │ se dirigent vers le poulailler │.

☐ v. + GN

☐ v. + prép. + GN

b) Les poules et les canards │ mangent la moulée │.

☐ v. + GN

☐ v. + prép. + GN

c) Le chien │ dévore son os │.

☐ v. + GN

☐ v. + prép. + GN

Fais le test suivant afin de savoir où en sont rendues tes connaissances sur les groupes de mots.

Groupes de mots

1. Indique la construction de chaque groupe du nom (GN). Écris seulement la lettre correspondante.   /4

A. dét. + adj. + n.	B. dét. + adv. + adj. + n.
C. dét. + n. + adj.	D. dét. + n. + GN

a) un journal intime __   c) un joli dessin __

b) mon frère Alexis __   d) de très bonnes idées __

2. Indique la construction de chaque groupe du verbe (GV) encadré. Écris seulement la lettre correspondante.   /4

A. v. + adj.	B. v. + adv.
C. v. + GN	D. v. + prép. + GN

a) Les joueurs | sont motivés |. __

b) L'entraîneur | court avec les joueurs |. __

c) Les joueurs | manifestent joyeusement |. __

d) La foule | applaudit l'équipe |. __

TOTAL :   /8

Calcule ton résultat au *Zapp-test*. Si tu as obtenu une note **inférieure à 7**, relis la théorie portant sur les groupes de mots (p. 54-55), puis essaie de corriger tes erreurs.

Si tu as obtenu une note **égale ou supérieure à 7** : bravo ! Tu es maintenant un as des groupes de mots !

Accords

Test diagnostique Je m'évalue

Fais le test suivant afin d'évaluer tes connaissances sur les accords.

Bloc 1 Accords dans le groupe du nom (GN)

1. Dans le tableau suivant :

- surligne les noms donneurs d'accord dans les groupes du nom (GN);

- coche le genre et le nombre de ces donneurs d'accord.

/10

	Genre		Nombre	
	m.	f.	s.	pl.
a) des pommes et des oranges mûres	☐	☐	☐	☐
b) plusieurs fruits et légumes	☐	☐	☐	☐
c) une pomme par jour	☐	☐	☐	☐
d) quelques raisins bleus	☐	☐	☐	☐
e) bien des compotes différentes	☐	☐	☐	☐

2. Souligne les mots qui reçoivent l'accord du nom noyau en gras.

/4

a) On trouve souvent des animaux dans

les **histoires** merveilleuses et féeriques .

b) Le **dragon** ailé en est un exemple.

c) Avec ses immenses **ailes** , il survole les châteaux.

d) Les braves et nobles **chevaliers** tentent de combattre le dragon.

ACCORDS

3. Surligne les noms sujets donneurs d'accord des verbes en gras. /4

   a) Tristan et Clovis **vont** souper chez leur tante.

   b) Les préférences de ses neveux **ont guidé** la planification du repas.

   c) Leur tante **a cuisiné** une pizza dont la moitié **contient** du salami et l'autre, des légumes.

4. Récris les adjectifs entre parenthèses en les accordant avec le sujet. /4

   a) Elles sont (content) _____ d'aller au cinéma.

   b) Ils ont été (satisfait) _____ de leur dernière visite au cinéma.

   c) Les films d'horreur sont (passionnant) _____.

   d) Certains décors sont plutôt (terrifiant) _____.

ACCORDS

Compilation des résultats

Bloc 1

Question 1 : _____ /10   Question 2 : _____ /4   **Total :** _____ /14

Si tu as obtenu une note **inférieure à 11**, lis les explications et fais les exercices proposés aux pages 62 à 67. Tu pourras améliorer rapidement tes connaissances sur **les accords dans le groupe du nom (GN)**.

Bloc 2

Question 3 : _____ /4   Question 4 : _____ /4   **Total :** _____ /8

Si tu as obtenu une note **inférieure à 7**, lis les explications et fais les exercices proposés aux pages 68 à 74. Tu pourras améliorer rapidement tes connaissances sur **les accords dans le groupe du verbe (GV)**.

Bravo !
Tu as obtenu une note égale ou supérieure à celle indiquée dans chacun des blocs ? Félicitations ! Tu maîtrises bien **les accords**. Continue à t'améliorer en complétant le dossier : tu deviendras un as !

Accords dans le groupe du nom (GN)

Accords dans le groupe du nom (GN)

- Le **groupe du nom (GN)** est formé d'un **nom**, seul ou accompagné d'autres mots. Ce nom est le **noyau** du GN et il ne peut pas être effacé.

  GN
  n. noyau
  Ex.: *Cette **maison** lugubre* *est louche.* ➡ *Cette lugubre* *est louche.*
  (groupe de mots dépourvu de sens)

- Le GN peut être remplacé par un **pronom**.

  GN
  Ex.: *Cette maison lugubre* *est louche.* ➡ ***Elle** est louche.*

- Dans le GN, il peut y avoir un ou plusieurs adjectifs. Les adjectifs peuvent être placés **avant ou après le nom**.

  adj.   n.   adj.   n.   adj.   adj.
  Ex.: *des grands **arbres** feuillus*; *des **fleurs** jaunes et odorantes*

- Le **nom noyau** est **donneur d'accord**: il donne son genre et son nombre au déterminant et à l'adjectif (ou aux adjectifs) qui l'accompagnent. Le **déterminant** et l'**adjectif** sont donc **receveurs d'accord**.

  GN
  dét.   n.   adj.
  Ex.: *J'ai regardé m**es** **films** préféré**s**.*
  m. pl.

  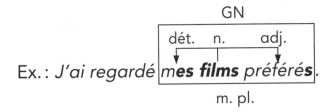

Note: On utilise le déterminant *mon, ton* ou *son*, et non *ma, ta* ou *sa*, devant un nom féminin qui commence par une voyelle ou un *h* muet (ex.: *mon école*, et non *ma école*).

Genre et nombre du nom

- Le nom a un seul **genre** lorsqu'il désigne un objet, un lieu, un sentiment, un loisir, etc. Il est alors soit masculin (ex. : *le manteau, l'hiver*), soit féminin (ex. : *la maison, l'étoile*).

   Note : Il est parfois difficile d'identifier le genre d'un nom qui débute par une voyelle ou un *h* muet. Le moyen le plus sûr est d'en vérifier le genre dans un dictionnaire.

   Si ce n'est pas possible, un truc est d'ajouter à côté du nom un adjectif qui a un féminin et un masculin qui diffèrent à l'oral. Celui qui fonctionnera avec le nom pourrait en identifier le genre.

   f.   f.

   Ex. : *une **longue** échelle*

   m.   m.

   *un **gros** avion*

- Le nom a un **nombre** : il est singulier s'il désigne une seule réalité ; il est pluriel s'il désigne plusieurs réalités (ex. : *un diplôme* ➡ *des diplômes*).

Accords dans le groupe du nom (GN)

1 Surligne le mot qui ne peut pas être effacé dans chaque groupe du nom (GN). Tu auras alors identifié le noyau du GN.

Astuce! Trouve le mot qui désigne *de qui ou de quoi on parle* dans le GN.

a) un beau grand chapeau de paille

b) cette plume de paon multicolore

c) quelques déchets non recyclables

d) des restes de table à jeter

e) le fils de Samuel

2 Pour chaque phrase du tableau:
- coche le genre et le nombre du nom donneur d'accord en gras;
- complète la phrase avec le déterminant qui convient.

| Mes | Mon | Notre | Quel | Quelle |

	Genre		Nombre	
	m.	f.	s.	pl.
a) _____ belle **journée**!	☐	☐	☐	☐
b) _____ **famille** part en piquenique.	☐	☐	☐	☐
c) _____ **parents** et moi sommes prêts.	☐	☐	☐	☐
d) _____ **frère** Antoine tarde à arriver.	☐	☐	☐	☐
e) _____ **endroit** magnifique!	☐	☐	☐	☐

Accords dans le groupe du nom (GN)

3 Encercle le déterminant qui convient.

a) (Ce / Cet / Cette) héros et (ce / cet / cette) héroïne sont bien connus des enfants.

b) Pendant tout (l' / le / la) hiver, il a joué de (l' / le / la) harpe.

c) (Mon / Ma / M') amie Julia est allée au concert.

d) Nous célébrons l'ouverture d'(une / un) usine de traitement des eaux.

e) (Son / Sa) unique partition de musique est précieuse pour lui.

4 Dans le tableau suivant :

– coche le genre et le nombre du nom donneur d'accord en gras ;

– récris l'adjectif entre parenthèses en l'accordant avec ce nom donneur d'accord.

	Genre		Nombre	
	m.	f.	s.	pl.
a) Tania se rend au **centre** (commercial) _____.	☐	☐	☐	☐
b) Sa (grand) _____ **sœur** l'a reconduite.	☐	☐	☐	☐
c) Tania visite ses **boutiques** (préféré) _____.	☐	☐	☐	☐
d) En fait, elle cherche une **surprise** (original) _____.	☐	☐	☐	☐
e) Demain, on fêtera sa (meilleur) _____ **amie**.	☐	☐	☐	☐

Accords dans le groupe du nom (GN)

Fais le test suivant afin de savoir où en sont rendues tes connaissances sur les accords dans le groupe du nom (GN).

Accords dans le groupe du nom (GN)

1. Dans le tableau suivant :

- surligne le noyau des groupes du nom (GN) encadrés ;
- coche le genre et le nombre de chaque noyau.

/8

	Genre		Nombre	
	m.	f.	s.	pl.
a) Tommy a appris la grande nouvelle hier.	☐	☐	☐	☐
b) Il est le premier élève de sa classe qui ira à la NASA !	☐	☐	☐	☐
c) Ce jeune garçon de sept ans a fait une recherche sur les astronautes.	☐	☐	☐	☐
d) Tous les membres de sa famille l'ont encouragé à participer au concours.	☐	☐	☐	☐

2. Souligne tous les mots qui reçoivent l'accord du noyau en gras dans les GN encadrés.

/5

a) On trouve souvent des **personnages** merveilleux dans les contes.

b) Le magicien est parfois un **personnage** méchant et dangereux, parfois un **être** amical.

c) Les lutins sont des petites **créatures** amusantes.

d) Les gentilles fées aident les **héros** épuisés ou malchanceux.

3. Pour chaque phrase du tableau :

- coche le genre et le nombre du nom donneur d'accord en gras ;
- encercle le déterminant qui convient.

	Genre		Nombre	
	m.	f.	s.	pl.
a) (Ce / Cet / Cette) **dentiste** est la mère de William.	☐	☐	☐	☐
b) Les enfants de (sa / son / ses) **oncle** sont ses cousins.	☐	☐	☐	☐
c) (Quelle / Quel / Quelles) belles **familles** !	☐	☐	☐	☐
d) (Certains / Certain / Certaines) **enfants** aiment lire des contes merveilleux.	☐	☐	☐	☐
e) En hiver, il vaut mieux mettre (un / une) **habit** de neige pour aller jouer dehors.	☐	☐	☐	☐

TOTAL : /23

Calcule ton résultat au *Zapp-test*. Si tu as obtenu une note **inférieure à 18**, relis la théorie portant sur les accords dans le groupe du nom (GN) (p. 62-63), puis essaie de corriger tes erreurs.

Si tu as obtenu une note **égale ou supérieure à 18** : bravo ! Tu es maintenant un as des accords dans le GN !

Accords dans le groupe du nom (GN)

Accord du verbe avec le groupe du nom (GN) sujet

- Le **nom noyau** du GN sujet donne sa personne (1ʳᵉ, 2ᵉ ou 3ᵉ) et son nombre (singulier ou pluriel) au verbe conjugué.

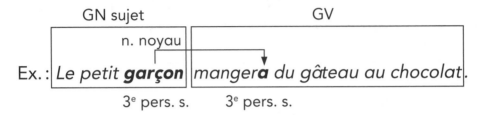

    GN sujet   GV

          n. noyau

Ex. : *Le petit* **garçon** *manger***a** *du gâteau au chocolat*.

    3ᵉ pers. s.   3ᵉ pers. s.

- On peut remplacer le GN sujet par le **pronom** *il, elle, ils* ou *elles*.

Ex. : *Ces talentueuses alpinistes* *escaladeront cette paroi rocheuse*.

    ➠ ***Elles*** *escaladeront cette paroi rocheuse*.

- Il arrive qu'un mot ou un groupe de mots se place entre le noyau et le groupe du verbe (GV). Cela peut parfois mener à des erreurs d'accord.

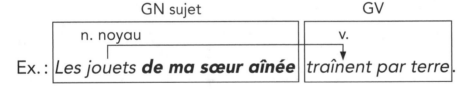

      GN sujet   GV

    n. noyau   v.

Ex. : *Les jouets* ***de ma sœur aînée*** *traînent par terre*.

Accord du participe passé employé avec *être*

- Le participe passé employé avec l'**auxiliaire *être*** s'accorde avec le noyau du GN sujet.

     GN sujet   GV

           aux.

    n. noyau   *être*   p. p.

Ex. : *Les* **pommes** *sont tombé***es**.

Accords dans le groupe du verbe (GV)

Accord de l'attribut du sujet

- L'attribut du sujet est formé d'un **groupe du nom (GN)** ou d'un **adjectif**.

- Le groupe du verbe (GV) qui a un attribut est construit avec le verbe *être* ou avec un autre verbe attributif (*paraître*, *sembler*, *devenir*, etc.).

- L'attribut du sujet s'accorde en genre et en nombre avec le noyau du GN sujet.

GN sujet	GV	
n. noyau	v. attributif	adj. attr. du sujet

Ex.: *Ces **livres*** | *paraissent intéressant**s***.

Pronom

- Le pronom est un mot généralement variable. Il est **donneur d'accord**. Il donne son genre et son nombre à l'adjectif en relation avec lui, ou sa personne et son nombre **au verbe dont il est le sujet**.

- Le pronom personnel est le plus courant. Il peut:

  - être employé comme pronom de conjugaison (ex.: **je** suis, **tu** es, **il / elle / on** est, **nous** sommes, **vous** êtes, **ils / elles** sont);

  - servir de mot substitut: il remplace alors un mot ou un groupe de mots (ex.: *ma sœur ⟶ elle*);

  - désigner des personnes qui communiquent.

    Ex.: *Kim est fâchée, car **tu** fais le même geste qu'**elle**.*

    Dans cet exemple, *tu* désigne une personne à qui on s'adresse, et *elle* remplace *Kim*.

Note: Dans une phrase interrogative, le pronom sujet est placé après le verbe (ex.: *Aimes-**tu** jouer aux échecs?*).

Accords dans le groupe du verbe (GV)

1 Pour chaque phrase du tableau :

– surligne le noyau du groupe du nom (GN) sujet, c'est-à-dire le nom qui donne sa personne et son nombre au verbe en gras.

– indique la personne et le nombre de ce noyau en cochant la colonne appropriée.

	3e pers. s.	3e pers. pl.
a) Surnommé *glouton*, le carcajou **habite** les forêts du nord du Québec.	☐	☐
b) Cet animal **ressemble** à un petit ours.	☐	☐
c) Ses mâchoires très puissantes lui **permettent** de broyer la chair et les os de ses victimes.	☐	☐
d) Aujourd'hui, l'espèce **est** en voie de disparition.	☐	☐

2 Pour chaque phrase du tableau :

– encercle le pronom donneur d'accord du verbe en gras ;

– indique la personne et le nombre de ce pronom en cochant la colonne appropriée.

	Singulier			Pluriel		
	1re	2e	3e	1re	2e	3e
a) **Voulez**-vous danser ?	☐	☐	☐	☐	☐	☐
b) Regardez-les, ils **dansent** très bien.	☐	☐	☐	☐	☐	☐
c) Je ne **sais** pas danser.	☐	☐	☐	☐	☐	☐
d) Est-ce que tu nous **enseigneras** cette danse ?	☐	☐	☐	☐	☐	☐

Accords dans le groupe du verbe (GV)

3 Écris le pronom qui peut remplacer le GN sujet encadré.

il   ils

a) L'aye-aye et le lémur habitent les forêts tropicales
de Madagascar. _____

b) Le lémur a une queue rayée plus longue que son corps. _____

c) Quant à lui, l'aye-aye présente des oreilles
de chauve-souris et une queue d'écureuil. _____

d) Ce petit mammifère est une espèce animale menacée. _____

e) Quelques-uns de tes amis ont déjà vu ces animaux
dans un reportage à la télévision. _____

4 Conjugue le verbe entre parenthèses à l'indicatif présent en tenant
compte de son donneur d'accord.

a) Annabelle (adorer) _____ les chevaux.

b) Elle les (monter) _____ plusieurs fois par semaine.

c) Cette jeune cavalière et plusieurs autres jeunes de son âge (participer)
_____ à des compétitions équestres.

d) Lors de ces compétitions, les participants (devoir) _____
contourner trois barils le plus rapidement possible.

5 Accorde les participes passés employés avec l'auxiliaire *être* en ajoutant les lettres manquantes, s'il y a lieu.

a) Thomas et moi sommes arrivé__ très tôt à l'école.

b) Nous sommes allé__ à l'auditorium.

c) Toute l'assistance est demeuré__ attentive pendant la conférence.

d) Les retardataires sont resté__ debout pour ne pas déranger la conférencière.

e) Un petit groupe est demeuré__ dans la salle pour la période de questions.

6 Pour chaque phrase du tableau :

– surligne le donneur d'accord de l'adjectif attribut du sujet en gras ;

– indique le genre et le nombre de ce donneur en cochant les colonnes appropriées.

	Genre		Nombre	
	m.	f.	s.	pl.
a) La marche est **bonne** pour la santé.	☐	☐	☐	☐
b) Les activités sportives en général sont **bénéfiques**.	☐	☐	☐	☐
c) Ces tournois de soccer sont **passionnants**.	☐	☐	☐	☐
d) Bien des patineuses artistiques sont **élégantes**.	☐	☐	☐	☐

Fais le test suivant afin de savoir où en sont rendues tes connaissances sur les accords dans le groupe du verbe (GV).

1. Surligne les noms donneurs d'accord des verbes en gras. /4

  a) L'orage **a surpris** la classe en pleine randonnée.

  b) La pluie et le vent **faisaient** rage.

  c) Tous les élèves **ont couru** s'abriter dans la grange.

  d) Chaque randonneur **a mangé** son lunch à l'abri.

2. Pour chacune des phrases suivantes :

  – surligne le ou les noyaux du groupe du nom (GN) sujet ;

  – écris le pronom qui peut remplacer ce ou ces noyaux, donneurs d'accord du verbe en gras. /8

  | elle | il | nous | vous |

  a) Notre professeur nous **demande** quels oiseaux sont menacés de disparition. _____

  b) Toute la classe **fera** une recherche sur le sujet. _____

  c) Cindy, Amad et toi **chercherez** dans Internet tandis que Cynthia ira à la bibliothèque. _____

  d) Samuel et moi **rédigerons** le rapport de recherche. _____

Accords dans le groupe du verbe (GV)

3. Coche les phrases dans lesquelles le participe passé employé avec l'auxiliaire *être* est correctement accordé.

/2

a) ☐ Mon meilleur ami et son frère étaient **parti** à l'étranger.

b) ☐ Ils sont **revenus** hier soir.

c) ☐ Ma mère est **allé** en vacances chez sa sœur qui vit en Ontario.

d) ☐ Mon père est **tombé** en allant la reconduire à la gare.

4. Accorde les attributs du sujet en ajoutant les lettres manquantes.

/4

a) Les légumineuses sont bon_____ pour la santé.

b) Beaucoup de Mexicains sont des amateur_____ de fèves rouges.

c) Ces aliments sont des substitut_____ à la viande.

d) Une bonne salade de pois chiches est satisfaisant_____ pour les plus grands appétits.

TOTAL : /18

Calcule ton résultat au *Zapp-test*. Si tu as obtenu une note **inférieure à 14**, relis la théorie portant sur les accords dans le groupe du verbe (GV) (p. 68-69), puis essaie de corriger tes erreurs.

Si tu as obtenu une note **égale ou supérieure à 14** : bravo ! Tu es maintenant un as des accords dans le GV !

Conjugaison

on

ils

vous

elle

je

Test diagnostique Je m'évalue

Fais le test suivant afin d'évaluer tes connaissances
sur la conjugaison.

Bloc 1 Formes du verbe

1. Complète le tableau suivant.

/6

Verbe conjugué	Radical	Terminaison
a) j'achète	achèt	
b) tu rends		s
c) il hait		t
d) nous plaçons	plaç	
e) vous unissez		ez
f) elles reçoivent	reçoiv	

2. Encercle l'auxiliaire entre parenthèses qui convient au
verbe en gras.

/5

a) Plusieurs habitants (auraient / seraient) **morts**
du choléra.

b) Un grand malheur (a / est) **arrivé** aux voisins.

c) Nous (avions / étions) **allés** au magasin.

d) Tu (aurais / serais) **préféré** manger une soupe plutôt
qu'un sandwich.

e) Les artistes (ont / sont) **peint** de beaux tableaux.

3. Parmi les verbes suivants, lequel est conjugué à l'indicatif
passé composé ? Coche ta réponse.

/1

a) ☐ dormir   b) ☐ venu   c) ☐ ai mangé

4. Conjugue les verbes entre parenthèses à l'indicatif présent. /6

a) J'(ouvrir) _____ la porte pour faire entrer le visiteur.

b) Nous (finir) _____ de manger avant d'aller jouer dehors.

c) On (dire) _____ qu'une image vaut mille mots.

d) Ils (faire) _____ leurs adieux avant de partir.

e) Est-ce que je (pouvoir) _____ t'emprunter un crayon?

f) Tu (venir) _____ me rejoindre au parc tous les jours.

5. Conjugue les verbes en –*ger* à l'indicatif imparfait. /6

a) je (juger) _____

b) tu (ranger) _____

c) il (nage) _____

d) nous (manger) _____

e) vous (partager) _____

f) elles (manger) _____

6. Conjugue le verbe *venir* à l'indicatif futur simple. /6

a) je _____

d) nous _____

b) tu _____

e) vous _____

c) elle _____

f) ils _____

CONJUGAISON

7. Complète la conjugaison des verbes *pouvoir* et *vouloir* à l'indicatif conditionnel présent.

/6

	Pouvoir	**Vouloir**
a) je		voudrais
b) tu		voudrais
c) il	pourrait	
d) nous	pourrions	
e) vous		voudriez
f) elles	pourraient	

Bloc 3 Modes participe, impératif et subjonctif

8. Forme le participe passé des verbes en ajoutant la bonne terminaison (au masculin singulier).

/4

a) aimer ➠ j'ai aim___

b) finir ➠ elle a fin___

c) prendre ➠ il est pri___

d) tenir ➠ tu as ten___

9. Conjugue les verbes entre parenthèses à l'impératif présent selon la personne indiquée.

/3

a) Pour indiquer ta réponse, (*noircir*, 2ᵉ pers. s.) _____ la case.

b) J'ai des choses à te dire. Alors, (*écouter*, 2ᵉ pers. s.) _____-moi !

c) Il faut régler ce problème rapidement, (*trouver*, 1ʳᵉ pers. pl.) _____ une solution !

CONJUGAISON

10. Écris les terminaisons du subjonctif présent des verbes.   /6

   a) aimer ➠ que j'aim_____

   b) chanter ➠ que tu chant_____

   c) garde ➠ qu'elle gard_____

   d) marcher ➠ que nous march_____

   e) trouver ➠ que vous trouv_____

   f) ajouter ➠ qu'ils ajout_____

Compilation des résultats

Bloc 1

Question 1 : _____ /6   Question 3 : _____ /1

Question 2 : _____ /5   **Total :** _____ /12

Si tu as obtenu une note **inférieure à 10**, lis les explications et fais les exercices proposés aux pages 80 à 84. Tu pourras améliorer rapidement tes connaissances sur **les formes du verbe**.

Bloc 2

Question 4 : _____ /6   Question 6 : _____ /6

Question 5 : _____ /6   Question 7 : _____ /6   **Total :** _____ /24

Si tu as obtenu une note **inférieure à 19**, lis les explications et fais les exercices proposés aux pages 85 à 97. Tu pourras améliorer rapidement tes connaissances sur **les temps de l'indicatif**.

Bloc 3

Question 8 : _____ /4   Question 10 : _____ /6

Question 9 : _____ /3   **Total :** _____ /13

Si tu as obtenu une note **inférieure à 10**, lis les explications et fais les exercices proposés aux pages 98 à 103. Tu pourras améliorer rapidement tes connaissances sur **les modes participe, impératif et subjonctif**.

Bravo !

Tu as obtenu une note égale ou supérieure à celle indiquée dans chacun des blocs ? Félicitations ! Tu maîtrises bien **la conjugaison**. Continue à t'améliorer en complétant le dossier : tu deviendras un as !

CONJUGAISON

Radical et terminaison

- Le verbe se divise en **deux parties** :

  – le radical (première partie qui exprime le sens du verbe) ;

  – la terminaison (dernière partie du verbe qui varie).

- La plupart des verbes réguliers conservent le même **radical** au cours de la conjugaison.

  Note : Certains verbes changent de radical au cours de la conjugaison. Par exemple, le radical des verbes réguliers en *–ir* comme *finir*, qui font *issons* à la 1re personne du pluriel de l'indicatif présent, peut prendre deux formes : il se termine avec *i* ou avec *–iss*.

  Ex. : *nous **fin<u>iss</u>ons**, vous **fin<u>iss</u>ez**, nous **fin<u>i</u>rons**, vous **fin<u>i</u>rez***

- La **terminaison** change lorsque le verbe est conjugué. Elle indique le mode, le temps, la personne et le nombre du verbe.

  Ex. : *verbe* parl**er**, *indicatif imparfait, 3e pers. pl.* ➠ *elles parl**aient*** (verbe régulier : le radical ne change pas)

  verbe pouv**oir**, *indicatif présent, 1re pers. s.* ➠ *je peu**x*** (verbe irrégulier : le radical change)

Temps simples et temps composés

- Les **temps simples** sont formés d'un seul mot.

  Ex. : *indicatif futur simple :* j'**oublierai**

- Les **temps composés** sont formés de l'auxiliaire *avoir* ou *être* et du verbe au participe passé.

  Ex. : *indicatif passé composé :* tu **as oublié**

Formes du verbe

Indicatif passé composé

- Tous les verbes sont formés de la manière suivante à l'indicatif passé composé : l'auxiliaire *avoir* ou *être* à l'indicatif présent, suivi du participe passé du verbe.

  Ex. : *tu **as aimé*** (auxiliaire *avoir* + participe passé du verbe *aimer*)

  *il **est devenu*** (auxiliaire *être* + participe passé du verbe *devenir*)

- La plupart du temps, le passé composé est formé avec l'auxiliaire **avoir**. Il est formé avec l'auxiliaire **être** quand le verbe exprime un **mouvement** (*aller, arriver, entrer, partir, revenir,* etc.) ou un **état** (*devenir, mourir, naître, rester,* etc.).

  Ex. : *Il **est arrivé** très tôt.* (mouvement)

  Note : Lorsque le participe passé est employé avec l'auxiliaire *être*, il s'accorde avec le sujet.

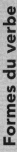

Infinitif présent

- L'infinitif présent est la **forme de base du verbe**. Cette forme est sans indication de personne, de nombre ou de temps.

  Ex. : *aimer, finir, pouvoir, dire*

Formes du verbe

1 Observe les verbes suivants, puis réponds au *Qui suis-je ?*.

elles fini**ront**	nous fais**ions**	tu part**ais**
ils rend**irent**	on reçoi**t**	vous aim**ez**

Qui suis-je ?

	Radical	Terminaison
a) Dans les verbes ci-dessus, je corresponds à la portion soulignée.	☐	☐
b) Dans les verbes ci-dessus, je corresponds à la portion en gras.	☐	☐
c) J'indique le sens du verbe.	☐	☐
d) Je varie selon la conjugaison du verbe.	☐	☐
e) J'indique le nombre du verbe.	☐	☐

2 Écris la terminaison de chaque verbe.

a) j'allais _____   d) nous avions _____

b) tu aimais _____   e) vous saviez _____

c) elle rendait _____   f) ils mettaient _____

3 Observe tes réponses au n° **2**, puis coche les énoncés qui sont vrais.

Les terminaisons indiquent que...

a) ☐ les verbes a), b) et c) sont au singulier.

b) ☐ les verbes d), e) et f) sont au pluriel.

c) ☐ les verbes sont tous conjugués à des temps différents.

d) ☐ les verbes sont tous conjugués à l'indicatif imparfait.

Formes du verbe

4 Écris le radical de chaque verbe.

a) on aime _____

b) il chantait _____

c) elles trouveront _____

d) elle appela _____

e) ils parleraient _____

f) tu partais _____

5 Coche les phrases qui contiennent un verbe conjugué à un temps composé.

a) ☐ Je suis parti depuis trente minutes.

b) ☐ Il faut que tu partes.

c) ☐ Elles ont cessé de parler.

d) ☐ Endors-toi, maintenant.

e) ☐ Ils ont parlé pendant tout le film.

6 Ajoute le bon auxiliaire pour que chaque verbe en gras soit conjugué à l'indicatif passé composé.

| ai | est | ont | suis |

a) William et Alex _____ **couru** toute la journée.

b) Mathilde _____ **venue** les rejoindre.

c) Je _____ **allé** les voir.

d) Pourquoi _____-ils **passé** la journée à courir ?

e) Puisque j'_____ **terminé** mon travail, je vais vous le dire.

Chapitre 9

Zapp-test Je fais le point

Fais le test suivant afin de savoir où en sont rendues tes connaissances sur les formes du verbe.

1. Complète le tableau suivant. /4

Verbe conjugué	Radical	Terminaison
a) je regarde	regard	
b) vous finissez		ez
c) nous lançons	lanç	
d) elles achètent	achèt	

2. Encercle l'auxiliaire entre parenthèses qui convient au verbe en gras. /4

a) Nous (avons / sommes) **fui** avant le début de l'orage.

b) Samuel et toi (avez / êtes) **allés** visiter votre grand-père.

c) Vos voisins (ont / sont) **essayé** de vous faire peur.

d) Grâce à son adresse, elle (a / est) **vaincu** son adversaire.

3. Complète l'énoncé suivant. /3

Tous les verbes se forment de la manière suivante à l'indicatif passé composé : auxiliaire _____ ou _____ , suivi du _____ du verbe.

TOTAL : /11

Calcule ton résultat au *Zapp-test*. Si tu as obtenu une note **inférieure à 9**, relis la théorie portant sur les formes du verbe (p. 80-81), puis essaie de corriger tes erreurs.

Si tu as obtenu une note **égale ou supérieure à 9** : bravo ! Tu es maintenant un as des formes du verbe !

Verbes réguliers et irréguliers

- Les **verbes réguliers** sont ceux qui se comportent de la même façon dans la conjugaison. En général, ils ont les mêmes terminaisons et leur radical ne change pas.

    Note : Certains verbes réguliers ont un radical qui change légèrement. Par exemple :

    – Pour les verbes se terminant par **–cer**, la lettre *c* devient ç devant les voyelles *a* et *o* (ex. : *nous* **plaç**ons). Pour ces verbes, on peut utiliser le verbe modèle *placer*.

    – Pour les verbes se terminant par **–ger**, la lettre *g* devient *ge* devant les voyelles *a* et *o* (ex. : *nous* **mange**ons). Pour ces verbes, on peut utiliser le verbe modèle *manger*.

- Les **verbes irréguliers** ne suivent pas les mêmes règles que les verbes réguliers. Ils peuvent changer de radical au cours de la conjugaison ou avoir des terminaisons particulières.

    Note : Pour en savoir plus sur le radical et la terminaison des verbes, lis la théorie à la page 80.

Indicatif présent

- À l'indicatif présent, les **verbes réguliers en –er**, comme le verbe modèle *aimer*, se conjuguent de la manière suivante :

j'	aim**e**	nous	aim**ons**
tu	aim**es**	vous	aim**ez**
il / elle, on	aim**e**	ils / elles	aim**ent**

- Les **verbes réguliers en –ir**, comme le verbe modèle *finir*, se conjuguent de la manière suivante :

je	fini**s**	nous	finiss**ons**
tu	fini**s**	vous	finiss**ez**
il / elle, on	fini**t**	ils / elles	finiss**ent**

Temps de l'indicatif : présent et imparfait

Note : On reconnaît les verbes réguliers en *–ir* parce qu'ils font *–issons* à la 1re personne du pluriel de l'indicatif présent (ex. : *nous fin**issons***).

- La plupart des **verbes irréguliers en *–ir*, en *–oir* et en *–re*** se conjuguent de la manière suivante :

je	vien**s**	nous	ven**ons**
tu	vien**s**	vous	ven**ez**
il / elle, on	vien**t**	ils / elles	vienn**ent**

- Les **verbes irréguliers *pouvoir*, *vouloir* et *valoir*** se conjuguent de la manière suivante :

je	peu**x**	nous	pouv**ons**
tu	peu**x**	vous	pouv**ez**
il / elle, on	peu**t**	ils / elles	peuv**ent**

- Les **verbes irréguliers *couvrir*, *offrir* et *ouvrir*** se conjuguent de la manière suivante :

j'	ouvr**e**	nous	ouvr**ons**
tu	ouvr**es**	vous	ouvr**ez**
il / elle, on	ouvr**e**	ils / elles	ouvr**ent**

Note : Quelques verbes ont une forme particulière à certaines personnes. Par exemple :
- verbe *dire* : *vous dites* ;
- verbe *faire* : *vous faites*, *ils font*.

Indicatif imparfait

- À l'indicatif imparfait, **tous les verbes** se conjuguent de la manière suivante :

je	voy**ais**	nous	voy**ions**
tu	voy**ais**	vous	voy**iez**
il / elle, on	voy**ait**	ils / elles	voy**aient**

1 Conjugue le verbe *promettre* à l'indicatif présent. Attention ! Le radical de ce verbe change selon qu'il est conjugué au singulier ou au pluriel.

a) je _____   d) nous _____

b) tu _____   e) vous _____

c) il _____   f) elles _____

2 Complète la conjugaison des verbes *dire* et *faire* à l'indicatif présent en ajoutant la bonne terminaison.

–ent ou **–ons** ou **–ont** ou **–s** ou **–t** ou **–tes**

	Dire	**Faire**
a) je	di_____	fai_____
b) tu	di_____	fai_____
c) elle	di_____	fai_____
d) nous	dis_____	fais_____
e) vous	di_____	fai_____
f) ils	dis_____	f_____

3 Conjugue les verbes en *–ger* à l'indicatif présent. Attention ! La lettre *g* devient *ge* devant les voyelles *a* et *o*.

a) je (juger) _____

b) tu (ranger) _____

c) il (nager) _____

d) nous (manger) _____

e) vous (partager) _____

f) elles (figer) _____

Temps de l'indicatif : présent et imparfait

4 Observe la conjugaison de ces verbes en *–oir* à l'indicatif présent, puis complète l'énoncé en gras en cochant les bonnes réponses.

	Dev**oir**	Pouv**oir**
je	doi**s**	peu**x**
tu	doi**s**	peu**x**
elle	doi**t**	peu**t**
nous	dev**ons**	pouv**ons**
vous	dev**ez**	pouv**ez**
ils	doiv**ent**	peuv**ent**

À l'indicatif présent, les verbes en *–oir*, comme *devoir* et *pouvoir*...

a) ☐ conservent leur radical aux 1re et 2e personnes du pluriel.

b) ☐ changent de radical seulement aux personnes du singulier.

c) ☐ ont des terminaisons différentes selon le verbe.

5 Conjugue les verbes en *–cer* à l'indicatif imparfait. Attention ! La lettre *c* devient *ç* devant les voyelles *a* et *o*.

a) je (lancer) _____

b) tu (commencer) _____

c) il (percer) _____

d) nous (annoncer) _____

e) vous (avancer) _____

f) elles (placer) _____

6 Observe la conjugaison des verbes suivants à l'indicatif imparfait, puis complète l'énoncé en gras en cochant la bonne réponse.

	Dire	Faire
je	dis**ais**	fais**ais**
tu	dis**ais**	fais**ais**
elle	dis**ait**	fais**ait**
nous	dis**ions**	fais**ions**
vous	dis**iez**	fais**iez**
ils	dis**aient**	fais**aient**

À l'indicatif imparfait, pour former les verbes _dire_ et _faire_...

a) ☐ on supprime la finale du radical de l'infinitif du verbe et on ajoute les terminaisons de l'indicatif imparfait.

b) ☐ on modifie le radical de l'infinitif du verbe et on ajoute les terminaisons de l'indicatif imparfait.

7 Conjugue les verbes entre parenthèses à l'indicatif imparfait.

a) Elle (manger) _____ son repas du bout des doigts.

b) Je (mettre) _____ des gants blancs pour lui parler.

c) Est-ce que tu (voir) _____ bien avec tes anciennes lunettes?

d) Hier soir, nous (faire) _____ des tartes à la crème.

e) Vous (changer) _____ de place lorsqu'elle est arrivée.

f) Ils (partir) _____ en vacances hier soir.

Temps de l'indicatif: présent et imparfait

Fais le test suivant afin de savoir où en sont rendues tes connaissances sur l'indicatif présent et sur l'indicatif imparfait.

1. Conjugue les verbes entre parenthèses à l'indicatif présent. **/6**

a) L'incendie est si intense que je (pouvoir) _____ le voir d'ici.

b) Nous (manger) _____ les réglisses que mon père nous a données.

c) Elles (mentir) _____ pour éviter de s'expliquer.

d) Pendant son absence, ils (devoir) _____ se débrouiller seuls.

e) Je (promettre) _____ de ne plus recommencer.

f) Est-ce que vous (faire) _____ votre lit tous les matins?

2. Conjugue le verbe *venir* à l'indicatif présent. **/6**

a) je _____   d) nous _____

b) tu _____   e) vous _____

c) elle _____   f) ils _____

3. Coche les verbes qui se conjuguent selon le même modèle que le verbe *partir* à l'indicatif imparfait. **/5**

a) ☐ accomplir   e) ☐ provenir

b) ☐ obtenir   f) ☐ venir

c) ☐ cueillir   g) ☐ tenir

d) ☐ frémir   h) ☐ finir

Temps de l'indicatif : présent et imparfait

4. Conjugue le verbe *voir* à l'indicatif imparfait.   /6

   a) je _____   d) nous _____

   b) tu _____   e) vous _____

   c) il _____   f) elles _____

5. Conjugue les verbes entre parenthèses au temps indiqué.   /7

   a) Elle (*balancer*, ind. imparfait) _____
      la tête au son de la musique douce.

   b) Nous (*nager*, ind. présent) _____ depuis
      plusieurs minutes et nous (*commencer*, ind. présent)
      _____ à être fatigués.

   c) Je (*mettre*, ind. imparfait) _____
      des vêtements dans la valise tandis que tu (*ranger*,
      ind. imparfait) _____ ceux que nous
      n'apportions pas.

   d) Ils (*vouloir*, ind. présent) _____
      se dépêcher, mais ils (*devoir*, ind. présent)
      _____ attendre les autres.

TOTAL: /30

Calcule ton résultat au *Zapp-test*. Si tu as obtenu une note **inférieure à 24**, relis la théorie portant sur l'indicatif présent et sur l'indicatif imparfait (p. 85-86), puis essaie de corriger tes erreurs.

Si tu as obtenu une note **égale ou supérieure à 24**: bravo! Tu es maintenant un as de ces temps de l'indicatif!

Temps de l'indicatif: présent et imparfait

Indicatif futur simple

- À l'indicatif futur simple, les **verbes réguliers en –er**, comme le verbe modèle *aimer*, se conjuguent de la manière suivante :

j'	aim**erai**	nous	aim**erons**
tu	aim**eras**	vous	aim**erez**
il / elle, on	aim**era**	ils / elles	aim**eront**

- Les **verbes réguliers en –ir**, comme le verbe modèle *finir*, se conjuguent de la manière suivante :

je	fini**rai**	nous	fini**rons**
tu	fini**ras**	vous	fini**rez**
il / elle, on	fini**ra**	ils / elles	fini**ront**

> **Note :** On reconnaît les verbes réguliers en –ir parce qu'ils font –*issons* à la 1re personne du pluriel de l'indicatif présent (ex. : *nous* fin**issons**).

- Les **verbes irréguliers en –ir, en –oir et en –re** se conjuguent de la manière suivante :

je	parti**rai**	nous	parti**rons**
tu	parti**ras**	vous	parti**rez**
il / elle, on	parti**ra**	ils / elles	parti**ront**

> **Note :** Certains verbes ont des radicaux particuliers au futur simple. Voici des exemples (conjugués à la 1re personne du singulier) :
>
> – verbes en *ir* comme *venir* et *tenir* ➡ **viend**rai, **tiend**rai ;
>
> – verbe *faire* ➡ **fe**rai ;   – verbe *savoir* ➡ **sau**rai ;
>
> – verbe *pouvoir* ➡ **pour**rai ;   – verbe *vouloir* ➡ **voud**rai.

> **Note :** Pour en savoir plus sur les verbes réguliers et irréguliers, lis la théorie à la page 85.

Temps de l'indicatif : futur et conditionnel

Indicatif conditionnel présent

- À l'indicatif conditionnel présent, les **verbes réguliers en –er**, comme le verbe modèle *aimer*, se conjuguent de la manière suivante :

j'	aim**erais**	nous	aim**erions**
tu	aim**erais**	vous	aim**eriez**
il / elle, on	aim**erait**	ils / elles	aim**eraient**

- Les **verbes réguliers en –ir**, comme le verbe modèle *finir*, se conjuguent de la manière suivante :

je	fini**rais**	nous	fini**rions**
tu	fini**rais**	vous	fini**riez**
il / elle, on	fini**rait**	ils / elles	fini**raient**

Note : On reconnaît les verbes réguliers en *–ir* parce qu'ils font *–issons* à la 1re personne du pluriel de l'indicatif présent (ex. : *nous fin**issons***).

- Les **verbes irréguliers en –ir, en –oir et en –re** se conjuguent de la manière suivante :

je	parti**rais**	nous	parti**rions**
tu	parti**rais**	vous	parti**riez**
il / elle, on	parti**rait**	ils / elles	parti**raient**

Note : Certains verbes ont des radicaux particuliers au conditionnel présent. Voici des exemples (conjugués à la 1re personne du singulier) :

- verbes en *ir* comme *venir* et *tenir* ➡ **viend**rais, **tiend**rais ;

- verbe *faire* ➡ **fe**rais ;

- verbe *pouvoir* ➡ **pour**rais ;

- verbe *savoir* ➡ **sau**rais ;

- verbe *vouloir* ➡ **voud**rais.

Note : Pour en savoir plus sur les verbes réguliers et irréguliers, lis la théorie à la page 85.

Temps de l'indicatif : futur et conditionnel

1 Observe la conjugaison des verbes *bâtir* et *sentir* à l'indicatif futur simple, puis complète l'énoncé en gras en cochant la bonne réponse.

	Bâtir	**Sentir**
je	bâti**rai**	senti**rai**
tu	bâti**ras**	senti**ras**
elle	bâti**ra**	senti**ra**
nous	bâti**rons**	senti**rons**
vous	bâti**rez**	senti**rez**
ils	bâti**ront**	senti**ront**

À l'indicatif futur simple, les terminaisons des verbes en −*ir*...

a) ☐ sont −*erai*, −*eras*, −*era*, −*erons*, −*erez*, −*eront*.

b) ☐ sont −*rai*, −*ras*, −*ra*, −*rons*, −*rez*, −*ront*.

c) ☐ sont différentes selon que le verbe fait −*issons* ou −*ons* à la 1re personne du pluriel de l'indicatif présent.

2 Complète la conjugaison des verbes *mettre*, *devoir* et *pouvoir* à l'indicatif futur simple.

	Mettre	**Devoir**	**Pouvoir**
a) je		devrai	pourrai
b) tu	mettras	devras	
c) il	mettra		pourra
d) nous		devrons	pourrons
e) vous	mettrez		pourrez
f) elles	mettront	devront	

Temps de l'indicatif : futur et conditionnel

3 Conjugue les verbes entre parenthèses à l'indicatif futur simple.

a) je (faire) _____

b) tu (savoir) _____

c) elle (finir) _____

d) nous (vouloir) _____

e) vous (regarder) _____

f) ils (tenir) _____

4 Complète la conjugaison des verbes *dire* et *faire* à l'indicatif conditionnel présent.

	Dire	Faire
a) je	dirais	
b) tu		ferais
c) il		ferait
d) nous	dirions	
e) vous	diriez	
f) elles		feraient

5 Conjugue les verbes entre parenthèses à l'indicatif conditionnel présent.

a) tu (finir) _____

b) elles (partir) _____

c) vous (devoir) _____

d) je (mettre) _____

Zapp—test Je fais le point

Fais le test suivant afin de savoir où en sont rendues tes connaissances sur l'indicatif futur simple et sur l'indicatif conditionnel présent.

1. Conjugue le verbe *vouloir* à l'indicatif futur simple.　　　　　/6

　　a) je _____　　d) nous _____

　　b) tu _____　　e) vous _____

　　c) elle _____　　f) ils _____

2. Conjugue les verbes entre parenthèses à l'indicatif futur simple.　　　　　/6

　　a) je (dire) _____

　　b) tu (mettre) _____

　　c) il (sentir) _____

　　d) nous (placer) _____

　　e) vous (faire) _____

　　f) elles (venir) _____

3. Complète la conjugaison du verbe *faire* à l'indicatif conditionnel présent en ajoutant la bonne terminaison.　　　　　/6

−raient ou **−rais** ou **−rait** ou **−riez** ou **−rions**

　　a) je　fe_____　　d) nous fe_____

　　b) tu　fe_____　　e) vous fe_____

　　c) elle fe_____　　f) ils　fe_____

Temps de l'indicatif : futur et conditionnel

4. Conjugue les verbes entre parenthèses au temps indiqué.   /6

    a) Si tu savais ce que j'ai vu au parc, tu (*vouloir*, ind. conditionnel présent) _____ vite t'y rendre.

    b) Est-ce que tu (*mettre*, ind. futur simple) _____ la jupe grise ou le pantalon noir pour aller à la fête?

    c) Il (*venir*, ind. conditionnel présent) _____ te tenir compagnie si tu le lui demandais.

    d) Nous (*partir*, ind. futur simple) _____ dès que nous le (*pouvoir*, ind. futur simple) _____.

    e) Est-ce que vous (*faire*, ind. conditionnel présent) _____ des rénovations si vous en aviez les moyens?

TOTAL: /24

Calcule ton résultat au *Zapp-test*. Si tu as obtenu une note **inférieure à 19**, relis la théorie portant sur l'indicatif futur simple et sur l'indicatif conditionnel présent (p. 92-93), puis essaie de corriger tes erreurs.

Si tu as obtenu une note **égale ou supérieure à 19**: bravo! Tu es maintenant un as de ces temps de l'indicatif!

Temps de l'indicatif: futur et conditionnel

Mode participe

- Le mode participe peut être employé à deux temps :

  - le **participe présent**, qui indique une action qui se passe en même temps qu'une autre (ex. : *finissant*) ;

  - le **participe passé**, qui indique un fait déjà réalisé (ex. : *fini*).

- Le verbe au **participe présent** est **invariable**. Il est souvent placé **après la préposition *en*** et sa terminaison est toujours −*ant*.

  prép.

  Ex. : *Ce matin, je me suis blessée en **travaillant**.*

- Le verbe au **participe passé** peut **varier en genre et en nombre**.

  Ex. : *Les feuilles sont **tombées** de cet arbre.*

- Le **participe passé** peut être employé avec l'**auxiliaire *avoir*** ou ***être*** pour former un temps composé.

  aux.
  avoir + p. p.

  Ex. : *Elles **ont rougi** devant lui.* (indicatif passé composé)

  aux.
  être + p. p.

  *Elles **sont parties** au marché.* (indicatif passé composé)

Impératif présent

- À l'impératif présent, les verbes se conjuguent à **trois personnes seulement** :

  - 2ᵉ personne du singulier (ex. : *aime*) ;

  - 1ʳᵉ personne du pluriel (ex. : *aimons*) ;

  - 2ᵉ personne du pluriel (ex. : *aimez*).

- Les verbes à l'impératif présent prennent généralement les **mêmes formes qu'à l'indicatif présent** (aux personnes correspondantes).

  Exceptions:

  - la terminaison des verbes en –*er* à la 2e personne du singulier est –*e*, et non –*es* (ex.: *tu aim**es***, indicatif présent ⟹ *aim**e***, impératif présent);

  - la conjugaison du verbe *avoir*: *aie, ayons, ayez*;

  - la conjugaison du verbe *être*: *sois, soyons, soyez*.

Subjonctif présent

- Au subjonctif présent, tous les verbes, sauf *avoir* et *être*, ont les mêmes terminaisons:

que j'	aim**e**	que nous	aim**ions**
que tu	aim**es**	que vous	aim**iez**
qu'il / elle, on	aim**e**	qu'ils / elles	aim**ent**

  Note: Les verbes *avoir* et *être* se conjuguent de la manière suivante:

  - verbe *avoir*: *que j'aie, que tu aies, qu'il ait, que nous ayons, que vous ayez, qu'elles aient*;

  - verbe *être*: *que je sois, que tu sois, qu'il soit, que nous soyons, que vous soyez, qu'elles soient*.

- Le radical du verbe est souvent le même que celui employé à la 3e personne du pluriel de l'indicatif présent (quelques verbes font exception).

  Ex.: *Ils **finiss**ent à temps.* (indicatif présent)
  ⟹ *Il faut que tu **finiss**es à temps.* (subjonctif présent)

Note: Pour en savoir plus sur le radical et la terminaison des verbes, lis la théorie à la page 80.

Modes participe, impératif et subjonctif

❶ Observe les phrases suivantes, puis coche les énoncés qui sont vrais.

> A. J'apprends à jouer du piano en **suivant** les conseils de mon professeur et en m'**appliquant**.
>
> B. Cette semaine, elle a **joué** au piano tous les jours et je suis **allé** l'écouter.

a) ☐ La phrase A contient des participes présents.

b) ☐ La phrase B contient des participes passés.

c) ☐ La terminaison du participe passé et du participe présent est –*ant*.

d) ☐ Le participe passé peut être employé avec l'auxiliaire *avoir* ou *être* pour former un temps composé.

❷ Écris les terminaisons des participes passés des verbes.

	Singulier		Pluriel	
	Masculin	**Féminin**	**Masculin**	**Féminin**
a) marcher	march_____	march_____	march_____	march_____
b) cueillir	cueill_____	cueill_____	cueill_____	cueill_____
c) vendre	vend_____	vend_____	vend_____	vend_____
d) dire	di_____	di_____	di_____	di_____

❸ Ajoute les terminaisons des verbes *aimer*, *finir* et *recevoir* à l'impératif présent.

	Aimer	**Finir**	**Recevoir**
a) 2e pers. s.	aim_____	fini_____	reçoi_____
b) 1re pers. pl.	aim_____	finiss_____	recev_____
c) 2e pers. pl.	aim_____	finiss_____	recev_____

4 Surligne le verbe entre parenthèses qui est correctement conjugué à l'impératif présent.

a) (Met / Mets) ton manteau et tes bottes au vestiaire.

b) (Recevez / Recevai) mes meilleures salutations.

c) Ce soir, lors de la partie, (offrons / offront) le meilleur de nous-mêmes.

d) Ne (déçoit / déçois) pas ton amie et (rejoint / rejoins)-la à la fête.

5 Complète la conjugaison des verbes *avoir* et *être* à l'impératif présent.

	Avoir	Être
a) 2e pers. s.	aie	
b) 1re pers. pl.		soyons
c) 2e pers. pl.	ayez	

6 Complète les verbes suivants en ajoutant les terminaisons du subjonctif présent.

a) rendre ➡ que je rend_____

b) apprendre ➡ que tu apprenn_____

c) attendre ➡ qu'il attend_____

d) tordre ➡ que nous tord_____

e) surprendre ➡ que vous surpren_____

f) prendre ➡ qu'elles prenn_____

Modes participe, impératif et subjonctif

7 Au subjonctif présent, deux verbes ont des terminaisons différentes de celles ajoutées au n°**6**. Quels sont ces deux verbes?

_____

Fais le test suivant afin de savoir où en sont rendues tes connaissances sur les modes participe, impératif et subjonctif.

1. Forme le participe passé des verbes en choisissant la bonne terminaison (au masculin singulier).

/6

–é ou **–i** ou **–s** ou **–t** ou **–u**

a) dire ➡ j'ai di__

b) recevoir ➡ elle a reç__

c) vieillir ➡ il a vieill__

d) compter ➡ on a compt__

e) rendre ➡ tu as rend__

f) mettre ➡ nous avons mi__

2. Conjugue les verbes entre parenthèses à l'impératif présent selon la personne indiquée.

/5

a) (*Aimer*, 2e pers. s.) _____ la vie, elle te le rendra bien !

b) (*Aller*, 2e pers. s.) _____ jouer dehors, c'est bon pour la santé !

c) (*Finir*, 2e pers. pl.) _____ votre travail de géographie.

d) (*Rendre*, 1re pers. pl.) _____ service aux autres chaque fois que nous le pouvons.

e) (*Vendre*, 2e pers. s.) _____ ces objets au marché aux puces du dimanche.

Modes participe, impératif et subjonctif

3. Complète la conjugaison des verbes *avoir* et *être* au subjonctif présent.

	Avoir	Être
a) que je / j'		sois
b) que tu	aies	
c) qu'il		soit
d) que nous	ayons	
e) que vous		soyez
f) qu'elles	aient	

4. Conjugue les verbes entre parenthèses au mode et au temps demandés et, s'il y a lieu, à la personne indiquée.

a) (*Faire*, impératif présent, 2ᵉ pers. s.) _____ attention à la marche !

b) J'aimerais que tu (*regarder*, subjonctif présent) _____ un film avec moi ce soir.

c) Est-ce qu'il est (*partir*, participe passé) _____ depuis longtemps ?

d) (*Venir*, impératif présent, 2ᵉ pers. pl.) _____ me rejoindre et (*chanter*, impératif présent, 1ʳᵉ pers. pl.) _____ ensemble cet air joyeux.

TOTAL : /22

Modes participe, impératif et subjonctif

Calcule ton résultat au *Zapp-test*. Si tu as obtenu une note **inférieure à 18**, relis la théorie portant sur les modes participe, impératif et subjonctif (p. 98-99), puis essaie de corriger tes erreurs.

Si tu as obtenu une note **égale ou supérieure à 18** : bravo ! Tu es maintenant un as de ces modes !

Phrase

Fais le test suivant afin d'évaluer tes connaissances sur la phrase.

Bloc 1 Groupes et fonctions

1. Dans les phrases suivantes, surligne :

– le groupe sujet (GS) en bleu ;

– le groupe du verbe (GV) en jaune ;

– le groupe complément de phrase (GCP) en rose.

3 /3

a) Quand j'étais enfant, mon père et moi allions pêcher.
GCP · GS · GV

b) Nous quittions la maison avant le lever du jour.
GS · GV · GCP

c) Souvent, mon père m'aidait à appâter les poissons.
GCP · GS · GV

2. Encadre le mot ou le groupe de mots qui occupe la fonction de sujet.

4 /4

a) En mai, on célèbre la fête des Mères.

b) La fête des Pères a lieu en juin.

c) Connaissez-vous l'origine de ces fêtes ?

d) Nos parents apprécient être fêtés une journée par année.

3. Souligne le mot ou le groupe de mots qui exerce la fonction d'attribut du sujet.

3 /3

a) Avec le temps, nous sommes devenus des amis.

b) Après cette randonnée en forêt, Martha semblait épuisée.

c) La natation demeure une excellente activité physique.

4. Encadre le mot ou le groupe de mots qui occupe la fonction de complément de phrase. /4

a) <u>Le matin</u>, les enfants se lèvent tôt.

b) Ils se lèvent tôt pour prendre l'autobus scolaire.

c) Ces élèves, bientôt, feront leur entrée au secondaire.

d) Léa est tout excitée parce qu'elle change d'école.

Bloc 2 Types et formes de phrases

5. Précise le type de chaque phrase. /5

| déclarative | impérative | interrogative |

a) Quels sont vos passe-temps préférés ? _____

b) Lucas assemble des modèles réduits. _____

c) Soyez créatifs dans ce projet. _____

d) Y a-t-il une activité qui t'intéresse ? _____

e) La peinture lui fait oublier ses soucis. _____

6. Trace un X sur les mots qu'il faut supprimer pour transformer ces phrases déclaratives en phrases impératives. /3

a) Ce matin, Justin et toi allez à votre cours de karaté.

b) Vous préparez vos kimonos.

c) Tous les deux, vous répétez vos katas.

PHRASE

7. Transforme les phrases déclaratives suivantes en phrases interrogatives.

/3

a) Tu viens me voir pour me demander de l'aide.

➠ V_____

_____ ?

b) Vous regardez un film dans le salon.

➠ R_____

_____ ?

c) Nous irons à la plage l'été prochain.

➠ I_____

_____ ?

Bloc 3 Ponctuation

8. Ajoute la ponctuation qui convient aux bons endroits dans les phrases.

/9

:   «   »

a) Dans la ferme, les animaux se disputaient. Le bœuf se vantait : « Je suis le plus robuste des animaux ! »

b) Du haut de son perchoir, le coq lança dans un cocorico retentissant : « Aucun de vous ne peut régler le réveil du fermier et de sa famille ! »

c) La poule leur lança, dans un élan de sagesse : « Vous êtes tous du même clan, celui qui sert à nourrir le fermier, sa femme et ses enfants ! »

PHRASE

9. Ajoute la ponctuation ou la conjonction qui convient aux bons endroits dans les phrases.

/4

| , | et | ou |

a) La protection de l'environnement est la responsabilité des citoyennes et des citoyens des gouvernements des entreprises.

b) Si chaque personne fait sa part à la maison dans les lieux publics, à l'école au travail, on peut améliorer la situation.

Compilation des résultats

Bloc 1

Question 1 : _____/3   Question 3 : _____/3

Question 2 : _____/4   Question 4 : _____/4   **Total :** _____/14

Si tu as obtenu une note **inférieure à 11**, lis les explications et fais les exercices proposés aux pages 109 à 114. Tu pourras améliorer rapidement tes connaissances sur **les groupes et les fonctions dans la phrase**.

Bloc 2

Question 5 : _____/5   Question 7 : _____/3

Question 6 : _____/3   **Total :** _____/11

Si tu as obtenu une note **inférieure à 9**, lis les explications et fais les exercices proposés aux pages 115 à 120. Tu pourras améliorer rapidement tes connaissances sur **les types et les formes de phrases**.

Bloc 3

Question 8 : _____/9   Question 9 : _____/4   **Total :** _____/13

Si tu as obtenu une note **inférieure à 10**, lis les explications et fais les exercices proposés aux pages 121 à 126. Tu pourras améliorer rapidement tes connaissances sur **la ponctuation**.

Bravo !

Tu as obtenu une note égale ou supérieure à celle indiquée dans chacun des blocs ? Félicitations ! Tu maîtrises bien **la phrase**. Continue à t'améliorer en complétant le dossier : tu deviendras un as !

Phrase

- La phrase est une suite de mots ordonnés liés les uns aux autres. Celle-ci exprime quelque chose; elle doit avoir un sens.

- La phrase est obligatoirement formée d'un groupe sujet (GS) et d'un groupe du verbe (GV). Parfois, il y a un troisième groupe : le groupe complément de phrase (GCP).

Groupe sujet (GS)

- En général, le groupe sujet (GS) est composé d'un **groupe du nom (GN)** ou d'un **pronom**. Il est souvent placé devant le groupe du verbe (GV). Le GS indique **de qui ou de quoi on parle**. On ne peut pas l'effacer : ce groupe est **obligatoire** dans la phrase.

  Ex. :   **Adrien** | *lit une bande dessinée* .
  (GS) (GV)

Groupe du verbe (GV)

- Le groupe du verbe (GV) est toujours composé d'un **verbe conjugué**, seul ou accompagné d'autres mots. Il est généralement placé après le groupe sujet (GS). Le GV indique **ce que l'on dit du sujet**. On ne peut pas l'effacer : ce groupe est **obligatoire** dans la phrase.

  Ex. :   *Adrien* | ***lit une bande dessinée*** .
  (GS) (GV)

Groupes et fonctions

Groupe complément de phrase (GCP)

- Le groupe complément de phrase (GCP) est composé d'un **mot ou** d'un **groupe de mots dont le noyau est un nom, une préposition ou un adverbe**. Il peut aussi être une phrase insérée. On peut l'effacer : ce groupe est **facultatif** dans la phrase. On peut aussi le **déplacer**.

GS	GV	GCP

  Ex. : | *Adrien* | *lit une bande dessinée* | ***dans sa chambre*** |.

- Le GCP apporte des précisions sur le **moment** ou le **temps**, sur le **lieu**, sur le **but** ou sur la **cause**.

GS	GV	GCP

  Ex. : | *Adrien* | *lit une bande dessinée* | ***après l'école*** |. (moment)

  | *Adrien* | *lit une bande dessinée* | ***dans sa chambre*** |. (lieu)

  | *Adrien* | *lit une bande dessinée* | ***pour se divertir*** |. (but)

  | *Adrien* | *lit une bande dessinée* | ***parce qu'il adore cela*** |. (cause)

- Dans une phrase, il peut y avoir plusieurs GCP.

GCP	GS	GV	GCP

  Ex. : | ***Après l'école*** |, | *Adrien* | *lit une bande dessinée* | ***pour se divertir*** |.

Attribut du sujet

- L'attribut du sujet est souvent un **adjectif** ou un **groupe du nom (GN)** qui apporte une précision au sujet. Il dit **comment est le sujet ou ce qu'est le sujet**. Il est placé **après le verbe *être* ou un autre verbe attributif** (*devenir*, *paraître*, *sembler*, etc.).

  v.

  Ex. : *Cette femme est **douée**.*

- L'adjectif ou le GN attribut du sujet est **receveur d'accord** ; il s'accorde en genre et en nombre avec le sujet.

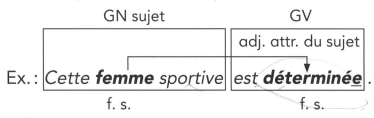

GN sujet	GV
	adj. attr. du sujet

  Ex. : | *Cette **femme** sportive* | *est **déterminée***. |

  f. s.   f. s.

1 Surligne en bleu le groupe sujet (GS) dans chaque phrase.

a) En Gaspésie , | nous | avons observé un aigle pêcheur .

b) Un soir , | un aigle | a survolé la mer , très haut dans le ciel .

c) Tout à coup , | cet habile pêcheur | a plongé du haut des airs .

2 Encadre les mots ou les groupes de mots qui occupent la fonction de sujet.

Astuce ! Dans ta tête, encadre ce groupe par *c'est… qui* ou *ce sont… qui*.

a) La fête nationale des Québécois est célébrée le 24 juin.

b) Les citoyens et citoyennes se réunissent en famille.

c) Plusieurs planifient un repas à l'extérieur, suivi d'un feu de joie.

d) Avec sa famille, Laurie ira voir des feux d'artifice.

3 Surligne en jaune le groupe du verbe (GV) dans chaque phrase.

a) | Nos visiteurs | sont arrivés .

b) | À leur retour de voyage |, | ils | semblaient bien fatigués .

c) | Demain |, après une bonne nuit de sommeil , | nos amis | repartiront .

d) | Ce soir |, les parents de mon amie | seront absents .

4 Surligne les trois verbes attributifs dans le texte.

Astuce ! Pour vérifier si un verbe est attributif, tu peux le remplacer par le verbe *être*.

> L'un des personnages de ce nouveau film, le noble chevalier, demeure un ami fidèle du roi tout au long de ses aventures. À première vue, il semble plutôt réservé, mais quand on en sait plus sur lui, on découvre qu'il est courageux et combatif.

Groupes et fonctions

5 Pour chaque phrase du tableau :

– souligne l'attribut du sujet dans chaque GV ;

– précise si cet attribut est un groupe du nom (GN) ou un adjectif en cochant la colonne appropriée.

	GN	adj.
a) Le roi est courageux.	☐	☐
b) Le prince est un garçon amusant et sympathique.	☐	☐
c) Parfois, la reine semble furieuse.	☐	☐
d) C'est parce qu'elle est sensible.	☐	☐

6 Surligne en rose les groupes de mots que tu peux effacer ou déplacer : il s'agit des groupes compléments de phrase (GCP).

a) Tous les jours , la cane et ses canetons venaient manger .

b) Charles-Étienne les attendait sur le quai .

c) Ils revenaient , toujours à la même heure , jour après jour .

7 Précise le sens de chaque GCP encadré.

but   cause   lieu   temps

a) Dans le stationnement , plusieurs espaces sont libres. _____

b) Les voitures commencent à arriver dès 7 h 30 le matin . _____

c) Les gens, pour mieux profiter des soldes , arrivent très tôt. _____

d) Il y a foule parce que c'est bientôt la rentrée scolaire . _____

Groupes et fonctions

Fais le test suivant afin de savoir où en sont rendues tes connaissances sur les groupes et les fonctions dans la phrase.

1. Dans les phrases suivantes, surligne :

– le groupe sujet (GS) en bleu ;

– le groupe du verbe (GV) en jaune ;

– le groupe complément de phrase (GCP) en rose.

/4

a) Les élèves de 6ᵉ année partagent une même préoccupation.

b) Ils seront au secondaire l'an prochain.

c) Pour certains, le choix de l'école est facile à faire.

d) D'autres, avec leurs parents, visiteront quelques écoles.

2. Encadre les groupes de mots qui occupent la fonction de sujet.

/4

a) Annuellement, la fête nationale du Canada est célébrée le 1ᵉʳ juillet.

b) Cette date rappelle la formation de la Confédération canadienne.

c) Avant 1867, le Canada était une colonie de la Grande-Bretagne.

d) La Confédération se fête en grand dans la capitale du Canada, Ottawa.

3. Souligne l'attribut du sujet dans chaque phrase.

/3

a) La princesse et la grenouille deviennent des alliées.

b) La princesse est prisonnière.

c) Pour libérer la princesse, la grenouille sera brave.

Groupes et fonctions

4. Encadre tous les GCP.

a) Le samedi matin, chaque semaine, ma mère nous demande de ranger nos chambres.

b) Dès neuf heures, elle nous sort du lit pour que nous venions déjeuner.

c) Sans perdre de temps, nous nous exécutons.

d) Parfois, nous allons au cinéma quand nous avons terminé.

/7

5. Précise le sens de chaque GCP encadré.

| but | cause | lieu | temps |

a) Grâce à ses nombreux sites d'information, le réseau Internet permet de faire facilement des recherches. _____

b) Il est possible d'y chercher de l'information n'importe quand. _____

c) L'information est disponible partout. _____

d) Pour s'assurer de la qualité de l'information, il faut beaucoup de vigilance. _____

/4

TOTAL: /22

Calcule ton résultat au *Zapp-test*. Si tu as obtenu une note **inférieure à 18**, relis la théorie portant sur les groupes et les fonctions dans la phrase (p. 109-110), puis essaie de corriger tes erreurs.

Si tu as obtenu une note **égale ou supérieure à 18**: bravo! Tu es maintenant un as des groupes et des fonctions dans la phrase!

Phrase déclarative

- La phrase déclarative est le type de phrase le plus souvent utilisé. Elle sert à communiquer une **information**, une **opinion** ou un **fait**. Elle se termine le plus souvent par un point (.).

  Ex.: *J'aime les gaufres.*

Phrase impérative

- La phrase impérative sert à formuler un **ordre**, une **demande** ou un **conseil**. Elle se termine par un **point** (**.**) ou par un **point d'exclamation** (**!**). Elle contient un verbe conjugué à l'impératif.

- Pour transformer une phrase déclarative en phrase impérative, il faut mettre le verbe à l'impératif et supprimer le sujet.

         P déclarative   P impérative

  Ex.: ***Tu achètes*** *du beurre.* ➡ ***Achète*** *du beurre.*

- Dans une phrase impérative, les pronoms compléments sont placés après le verbe et sont joints à celui-ci par un trait d'union.

         P déclarative   P impérative

  Ex.: *Tu me l'achètes.* ➡ *Achète-**le-moi**.*

Types et formes de phrases

Phrase interrogative

- La phrase interrogative sert à poser une **question**. Elle se termine toujours par un **point d'interrogation** (**?**).

- La phrase interrogative contient une marque interrogative comme le déplacement du pronom sujet après le verbe et l'ajout d'un trait d'union (-) entre les deux ; ou l'utilisation d'un mot interrogatif (*quel*, *combien*, *est-ce que*, etc.).

           P déclarative   P interrogative

Ex. : *Tu aimes jouer aux échecs.* ➠ ***Aimes-tu** jouer aux échecs* **?**

           P déclarative   P interrogative

Ton sport favori est le soccer. ➠ ***Quel** est ton sport favori* **?**

- On peut aussi y trouver l'ajout d'un pronom de reprise (il / elle, ils / elles) après le verbe. On insère alors un trait d'union entre le verbe et le pronom.

Ex. : *Maxime veut s'entraîner.*

➠ *Maxime veut-**il** s'entraîner* **?**

Note : On ajoute la lettre *t* entre deux traits d'union au verbe de la phrase interrogative qui se termine par la voyelle *e* ou *a* et qui est suivi du pronom *il*, *elle* ou *on*.

Ex. : *Yoann promène-**t**-il son chien* **?**

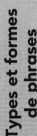

1 Précise si chaque phrase est déclarative ou impérative en cochant la colonne appropriée.

	Phrase déclarative	Phrase impérative
a) Range tes vêtements.	☐	☐
b) Va tout de suite ranger tes vêtements.	☐	☐
c) Je te demande de ranger tes vêtements.	☐	☐
d) N'oublie pas d'éteindre l'ordinateur.	☐	☐
e) Tu ne dois pas oublier d'éteindre l'ordinateur.	☐	☐

2 Ajoute un point ou un point d'exclamation à la fin de chaque phrase impérative, selon le sens.

.   !

a) Le général hurla : « Apportez votre équipement ☐ »

b) Lisez chaque soir une nouvelle aventure ☐

c) Dans un élan poétique, l'enseignante nous a dit : « Voyez comme ces mots sont beaux ☐ »

3 Insère le bon pronom dans les phrases impératives suivantes.

la   le   lui   y

a) Permettez-_____ d'assister à cette fête.

b) Maryse lance la balle et crie : « Attrape-_____, Julien ! »

c) Ce chandail t'appartient. Apporte-_____.

d) Le parc de la rivière est fantastique ; allons-_____.

Types et formes de phrases

4 Replace les mots de manière à former des phrases interrogatives.

a) | ton | viendra-t-il? | Quand | frère |

_____

b) | ce | partie | Est-ce que | matin? | Julia | est | tôt |

_____

c) | sœur? | de | préparé | ta | As-tu | déjeuner | le | petite |

_____

5 Encercle le ou les mots interrogatifs dans chaque phrase.

a) Qui est-ce qui a réalisé l'expérience en science?

b) L'enseignante demande : « Pourquoi Dylan a-t-il terminé le premier son rapport de laboratoire? »

c) Quand Dylan a-t-il terminé son rapport de laboratoire?

d) Catherine s'inquiète : « Est-ce que Dylan a suivi toutes les étapes? »

e) Quel sujet de recherche Dylan a-t-il choisi?

6 Lis la phrase déclarative en gras, puis complète les phrases interrogatives avec un mot interrogatif qui permet d'obtenir la réponse donnée.

Hier soir, Sabrina a cru voir un fantôme dans le grenier.

a) Hier, __ __ __ a cru voir un fantôme?

Réponse : Sabrina.

b) Hier, __ __ Sabrina a-t-elle cru voir un fantôme?

Réponse : Dans le grenier.

c) __ __ __ __ __ Sabrina a-t-elle cru voir un fantôme?

Réponse : Hier soir.

Types et formes de phrases

Fais le test suivant afin de savoir où en sont rendues tes connaissances sur les types et les formes de phrases.

---

1. Coche les phrases de type impératif. **/2**

   a) ☐ Ne lisez plus ces histoires tristes!

   b) ☐ Voulez-vous lire des romans policiers?

   c) ☐ Oublions cette histoire invraisemblable.

   d) ☐ Il faut plutôt choisir des récits d'aventures.

2. Surligne les phrases impératives dans le texte. **/2**

> Ce soir, je suis allée visiter le Salon du livre de Montréal. Que de belles rencontres j'ai faites! À un moment, j'ai entendu la voix de ma mère: «Vite, viens me rejoindre!» Elle était en train de discuter avec mon auteur québécois préféré. Dès que je suis rentrée à la maison, j'ai appelé ma sœur qui était à l'étage: «Alicia, descends vite voir ce que je t'ai rapporté!»

3. Complète les phrases impératives en ajoutant les pronoms contenus dans les phrases déclaratives. **/3**

   a) Nous lui parlons.

     ➠ Parlons-_____.

   b) Tu leur prêtes ton ballon.

     ➠ Prête-_____ ton ballon.

   c) Vous le regardez.

     ➠ Regardez-_____.

Types et formes de phrases

4. Complète chaque phrase avec le mot interrogatif qui convient.

/5

| Combien | Où | Pourquoi | Quelle | Qui |

a) _____ te surveille pendant que tes parents sont sortis ?

b) _____ gardienne préférez-vous : Mira ou Jade ?

c) _____ de temps vous gardera-t-elle ?

d) _____ vos parents sont-ils allés ?

e) _____ ta sœur ne dort-elle pas ?

5. Transforme chaque phrase déclarative en phrase interrogative. Pour ce faire, remplace le ou les mots en gras par le mot interrogatif qui convient.

/3

a) **Notre** école organise des olympiades.

➡ **Q**_____

b) **Un commerçant** fournira les boissons.

➡ **Q**_____

c) **À la fin de la journée**, les responsables remettront des prix de présence aux participants.

➡ **Q**_____

_____

TOTAL : /15

Calcule ton résultat au *Zapp-test*. Si tu as obtenu une note **inférieure à 12**, relis la théorie portant sur les types et les formes de phrases (p. 115-116), puis essaie de corriger tes erreurs.

Si tu as obtenu une note **égale ou supérieure à 12** : bravo ! Tu es maintenant un as des types et des formes de phrases !

Types et formes de phrases

Point (.), point d'interrogation (?) et point d'exclamation (!)

- On trouve le **point** :

    - à la fin d'une phrase déclarative (ex. : *Le chat court dans la rue* $\boxed{.}$) ;

    - à la fin d'une phrase impérative (ex. : *Viens voir le chaton tigré* $\boxed{.}$).

- On trouve le **point d'interrogation** à la fin d'une phrase interrogative (ex. : *Quand viendras-tu* $\boxed{?}$).

- On trouve le **point d'exclamation** :

    - à la fin d'une phrase exclamative (ex. : *Comme il est beau* $\boxed{!}$) ;

    - parfois à la fin d'une phrase impérative (ex. : *Viens vite* $\boxed{!}$) ;

    - après une interjection qui indique une émotion, un sentiment (ex. : *Hourra* $\boxed{!}$).

Virgule (,)

- Dans une **énumération**, on doit séparer les termes par une virgule, sauf s'ils sont unis par les conjonctions *et* ou bien *ou*.

    Ex. : *Je déteste les concombres* $\boxed{,}$ *les melons* $\boxed{et}$ *les cantaloups.*

- Dans une **phrase**, le groupe complément de phrase (GCP) déplacé au début ou à l'intérieur de la phrase doit être détaché par une ou des virgules.

    Ex. : *Les enfants doivent manger un bon déjeuner* **chaque matin**.

    ➧ ***Chaque matin*** $\boxed{,}$ *les enfants doivent manger un bon déjeuner.*

    ➧ *Les enfants doivent manger* $\boxed{,}$ ***chaque matin*** $\boxed{,}$ *un bon déjeuner.*

Ponctuation

Ponctuation dans un dialogue

- Dans un dialogue, le **deux-points (:)** introduit une réplique. Il peut aussi annoncer des paroles que l'on rapporte de quelqu'un.

  Ex.: *L'enseignante les a félicités* : *« Vous avez fait un excellent travail ! »*

- Les **guillemets (« »)** marquent le début et la fin des paroles rapportées.

  Ex.: *Zachary m'a demandé* : *«* *Est-ce que tu viens avec nous ?* *»*

- Le **tiret (—)** sert à indiquer un changement d'interlocuteur.

  Ex.: *En le voyant, Arthur lui dit :*

  « Comment vas-tu ?

  — *Ça va très bien.*

  — *T'entraînes-tu toujours autant ?*

  — *Bien sûr, je veux participer à la compétition de l'école. »*

- La **virgule (,)** sert à séparer une phrase qui désigne la ou les personnes qui parlent dans le dialogue.

  Ex.: *« Je suis en forme »* **,** **me répondit Catherine** *.*

  « Je suis en forme **,** **me répondit Catherine** **,** *et je m'entraîne tous les jours. »*

  Note : S'il y a un point d'interrogation ou d'exclamation, on n'ajoute pas de virgule.

  Ex.: *« Comme tu me parais en forme* **!** *»* **dit-elle en lui serrant la main.**

1 Ajoute la ponctuation qui convient à la fin des phrases.

| . | | ? | | ! |

a) Que recommande le *Guide alimentaire canadien* ☐

b) Il recommande que nous mangions six à huit portions de produits céréaliers par jour ☐

c) Oh! c'est beaucoup ☐

d) Quels aliments font partie des produits céréaliers ☐

e) Le pain et les céréales sont les principaux produits céréaliers ☐

2 Ajoute la ponctuation manquante dans les phrases.

| , | | « | | » | | . |

a) Je suis le roi de la jungle rugit le lion

b) Et moi réplique la girafe je suis le plus élégant de tous les animaux de la savane

c) Pour qui se prennent-ils? se demandent les singes

d) Nous sommes tous égaux lance l'énorme éléphant

3 Ajoute la virgule aux bons endroits pour séparer les termes dans les énumérations.

a) Voici quelques petits gestes quotidiens qui aident à protéger l'environnement: recycler économiser l'eau potable et réduire sa consommation d'énergie.

b) Nicolas Lili Alice et Xavier sont inscrits au club écologique de leur ville.

c) Ce club a pour mission d'informer les jeunes et de les inciter à poser des gestes écologiques à protéger leur environnement et à rallier d'autres jeunes à leurs efforts.

Ponctuation

4 Ajoute la ponctuation manquante dans le texte.

| — | , | « | » | . |

> Les oiseaux organisaient leur fête estivale annuelle. Le noir corbeau croassa bien fort:
>
> Soyez tous à l'heure pour le grand concert qui se tiendra à l'aube!
>
> Pourquoi croasses-tu si fort? lui demanda la gracieuse hirondelle
>
> Je suis le chef, je dois me faire entendre de tous argumenta le corbeau
>
> Essaie donc plutôt d'être toi-même à l'heure demain répliqua l'hirondelle avant de s'envoler loin du prétentieux corbeau

5 Ajoute la virgule aux bons endroits pour isoler les compléments de phrase.

a) Au XXIᵉ siècle la protection de l'environnement est devenue une priorité.

b) Dans plusieurs familles on adopte des comportements écologiques.

c) Le recyclage est devenu au Québec une pratique courante.

d) Si nous voulons protéger notre environnement il faut poser des gestes verts au quotidien.

Fais le test suivant afin de savoir où en sont rendues tes connaissances sur la ponctuation.

1. Ajoute la ponctuation manquante dans les phrases. /9

a) Combien d'heures d'exercice devons-nous faire par jour

b) Généralement les spécialistes en conditionnement physique recommandent de vingt à trente minutes d'exercice trois fois par semaine

c) Qu'est-ce qu'un exercice exigeant Cela varie selon l'âge et la santé de la personne

d) Il peut s'agir de marche rapide de course à pied de vélo de soccer ou de danse

2. Ajoute la ponctuation manquante dans le texte. /10

> La romancière invitée nous livra le message suivant :
>
> Lire, c'est voyager et vivre des aventures sans se déplacer
>
> Pouvez-vous nous donner un exemple demanda Léo
>
> *Le tour du monde en 80 jours* de Jules Verne a permis à bien des lecteurs de découvrir le monde sans même bouger de leur fauteuil répondit la romancière.
>
> Je vais me procurer ce roman et voyager à peu de frais conclut Léo.

Ponctuation

3. Ajoute la virgule aux bons endroits dans les phrases.

/6

a) La viande le poisson les légumineuses et les œufs font partie de la catégorie des viandes et substituts.

b) Si on recommande de consommer six à huit portions de produits céréaliers on ne suggère que deux ou trois portions de viandes et substituts.

c) Traditionnellement au Québec on consommait trop de viande et pas assez de fruits et de légumes.

d) Lorsqu'on mange de la viande en trop grande quantité les gras qu'elle contient peuvent nuire à la santé du cœur.

TOTAL:

/25

Calcule ton résultat au *Zapp-test*. Si tu as obtenu une note **inférieure à 20**, relis la théorie portant sur la ponctuation (p. 121-122), puis essaie de corriger tes erreurs.

Si tu as obtenu une note **égale ou supérieure à 20** : bravo ! Tu es maintenant un as de la ponctuation !

Dossier A Vocabulaire

Page 8

1. a) cent
   b) sang ; sans
   c) auteur
   d) hauteurs

2. a) célèbre ; modèle ; simplicité
   b) espère ; crêpes ; déjeuner ; préfère
   c) près ; guêpes

3. a) Est-ce
   b) on y verra
   c) ce sera
   d) devrait-on

Page 9

4. a) A
   b) C
   c) B
   d) D

5. a) moulée
   b) arrosoir
   c) partitions
   d) fleur

6. a) laideur
   b) rigidité
   c) saleté
   d) jeunesse
   e) fragilité

Page 10

7. a) à
   b) en
   c) chez
   d) à ; de

8. a) étranger ; peur de
   b) temps ; mesure
   c) petit ; voir

Page 11

9. a) similicuir
   b) extraordinaire
   c) quinquagénaire
   d) orthophoniste

Page 13

1. a) cou
   b) coud
   c) coût
   d) coup

2. a) court
   b) cour
   c) cours
   d) cours

3.

è devant une syllabe contenant un e muet	é devant une syllabe dont la voyelle est prononcée
bibliothèque	désert
espèce	espérer
premièrement	piéger

Page 14

4. a) piège ; piéger
   b) tempête ; température
   c) extrémité ; extrême
   d) mètre ; métrique

5. a), d) et f)

6. Essaie de prendre la vie du bon côté. Regarde le soleil se lever le matin et prends exemple sur lui : **vas-y**, sois lumineux, sois joyeux et **mets-en** plein la vue à tes amis.
   Rends-toi à l'école à bicyclette, siffle un air que tu aimes et, tu verras, tu passeras une belle journée. **Apprécie-la**.

7. a) viendra-t-il
   b) peut-on
   c) A-t-il

Page 15

1. a) maire ; mer
   b) mère ; mer
   c) mère ; maire

2. a) J'ai perdu la **voix** pendant une journée.
   b) Ma **paire** de chaussures est usée.

Page 16

3. a) mètre ; métrique
   b) intermède ; intermédiaire
   c) sécher ; sèche-cheveux

4. a) Ce chapeau est le mien ; **celui-là** est à toi.
   b) Il a fallu que **quelques-uns** arrivent en retard pour que les quelques autres soient punis.
   c) Si **ceux-ci** sont les miens, **ceux-là** sont les tiens.
   d) Les nôtres sont les plus beaux alors que les vôtres sont les plus dispendieux.

Page 19

1. a) chérir
   b) pressentir
   c) froid
   d) glisse

2. a) sens figuré
   b) sens figuré
   c) sens propre
   d) sens propre

3. a) main
   b) oreilles
   c) pouces
   d) pieds ; mains

Page 20

4. a) catastrophes
   b) bateaux
   c) modèles

5. **Meubles :** bibliothèque, lit, pupitre
   Marchands : bijoutier, libraire, poissonnier

6. a) en
   b) chez
   c) pour
   d) durant

Page 21

7. La famille de Juan a émigré **de** la Bolivie **vers** le Québec en l'an 2000. Tous les membres de la famille devaient avoir un permis **de** séjour. Il y avait beaucoup de formulaires **à** remplir et ils ont dû présenter plusieurs documents.
   Maintenant qu'ils sont installés **à** Rouyn-Noranda depuis un certain temps, ils sont habitués aux hivers québécois. Ils vont **à** la patinoire et font des bonshommes **de** neige.

8. a) autoriser
   b) saisir
   c) rassurer
   d) partager
   e) conter
   f) griller

9. Le nouveau film mettant en scène de **vieux** vampires a connu un **échec** retentissant auprès des ados. Contrairement aux personnages d'autres films du même genre, les vampires de ce film sont **violents**. De plus, les effets spéciaux sont **banals**.

Page 22

1. a) penser
   b) communication
   c) diffuser
   d) rassembler

2. a) neige
   b) yeux
   c) nuit
   d) coupe

Page 23

3. a) insecte
   b) ville
   c) véhicule
   d) fleur

4. a) en
   b) en
   c) dans
   d) sur ; dans

Page 25

1. a) groupe de
   b) angle
   c) science
   d) obsession

2. a) radiographie
   b) omnivore
   c) thermomètre
   d) polygone

3. a) biologie
   b) biographe

Page 26

4. a) ordi
   b) prof
   c) télé
   d) gym

5. a) chérir + hérisson
   b) ricochet + cauchemar
   c) vélo + mécanicien

6. a) invariable
   b) verbe
   c) adjectif
   d) nom
   e) préfixe
   f) féminin
   g) masculin
   h) préposition

Page 27

1. a) deux
   b) nombreux
   c) rayon
   d) hors de

2. a) bio**graphe** ; photo**graphe**
   b) psycho**logie** ; zoo**logie**
   c) climato**logue** ; sismo**logue**
   d) parco**mètre** ; thermo**mètre**

Page 28

3. a) manif**estation**
   b) pub**licité**
   c) labo**ratoire**
   d) math**ématique**

4. a) vidéo + cinéaste
   b) hélicoptère + aéroport
   c) clavier + bavarder
   d) poubelle + courriel

Dossier B Classes et groupes de mots

Page 30

1. La population de ce pays subissait la sécheresse depuis plusieurs années. On pouvait difficilement y trouver des fruits et des légumes frais, pas même du brocoli, du chou-fleur ou des carottes. Parfois, d'autres pays envoyaient de la nourriture pour permettre à des familles de se nourrir. Inutile de dire que le peuple vivait dans la tristesse et la pauvreté.

2. a) plusieurs
   b) Aucun
   c) toute
   d) certaines

Page 31

3. **Adjectifs qualifiants :** belle, élégante
   Adjectifs classifiants : francophone, africaine

4. La fête nationale du Québec est célébrée le 24 juin. Pendant la soirée, **on** fête autour d'un immense feu de camp **qui** est parfois accompagné de feux d'artifice. **Ceux**-ci illuminent le ciel. **On** profite aussi de cette fête pour organiser des repas communautaires. **Chacun** souligne l'événement à sa façon.

5. ses enfants ; son père ; à Benoît ; la bestiole

Page 32

6. a), c) et e)

7. a) lentement
   b) rarement
   c) suffisamment
   d) patiemment
   e) subitement

8. Les papillons volaient **dans** les champs. Les enfants éclataient **de** joie. L'été était **à** nos portes et le plaisir était **au** rendez-vous. Le panier **de** Laurie était rempli **de** fraises juteuses. La nature resplendissait **autour de** nous. Vive l'été !

Page 33

9. a) lorsque
   b) car
   c) si ; et

10. a), c) et d)

11. a) commandait
    b) fuyait
    c) dépassait
    d) frapperait
    e) donna

Page 34

12. a)

Page 37

1. a) Marie-Claude est une maman attentive.
   b) Après l'averse, nous avons observé un bel arc-en-ciel.
   c) Un chemin de fer traverse la rue principale.

2. a) concrète
   b) abstraite
   c) abstraite
   d) concrète
   e) abstraite

3. a) ma
   b) ton
   c) vos
   d) notre
   e) leurs

Page 38

4. a) Quelle
   b) Quel
   c) Quels
   d) Quelles

5. a) qualifiant
   b) classifiant
   c) classifiant
   d) qualifiant

6. a) captivante
   b) triste
   c) fiers
   d) furieuse
   e) démunis

Page 39

1. a), b) et e)

2. a) Quelle
   b) Quels
   c) Combien de
   d) Quelle

3. a) Le Soleil est **l'**astre du jour et **la** Lune, l'astre de la nuit.
   b) L'une de mes amies rêve d'aller sur la Lune **un** jour.
   c) Il faut bien avoir **des** rêves !
   d) Cependant, il est loin **le** jour où l'on pourra aller sur la Lune sans dépenser **une** fortune !

Page 40

4. a) belle   c) décidé
   b) absents   d) remplie

5. Les **histoires** de sorcières sont effrayantes. La plupart du temps, les **sorcières** sont remplies de mauvaises intentions.
   Dans certaines histoires, elles transforment leurs victimes en animaux. Ces **animaux** sont prisonniers de leur nouveau **corps** jusqu'à ce qu'une fée les délivre. Les **fées** sont puissantes et bonnes.

Page 43

1. a) ils   c) tu
   b) je ; elle   d) nous

2. a) quelqu'un   c) tout
   b) plusieurs

3. a) manière   c) enfants
   b) peintre   d) œuvres

Page 44

4. a) le tien   c) le mien
   b) la sienne   d) les leurs

5. a) Un orage imprévu menace de gâcher la fête prévue à l'extérieur.
   b) Sa cousine demeure dans la ville voisine.
   c) Le nouveau voisin plante des fleurs devant sa maison.

6. a) paraissent   c) restent
   b) semble   d) demeure

Page 45

1. a) celle   c) celui
   b) celui ; celle

2. a) frère   c) Coralie

Page 46

3. Le service de garde scolaire **offre** des activités intéressantes. Le mois dernier, lors de la journée pédagogique, nous **sommes allés** dans un parc régional. Nous **avons observé** une variété de conifères et nous **avons croisé** plusieurs animaux. Lors de la prochaine sortie, nous **visiterons** une ferme. Ce **sera** vraiment amusant !

4. b), c) et d)

Page 49

1.

Adjectif au masculin	Adjectif au féminin	Adverbe en –*ment*
fou	**folle**	follement
jaloux	jalouse	**jalousement**
habituel	**habituelle**	habituellement
franc	**franche**	**franchement**

2. a) résolument   d) prudemment
   b) méchamment   e) constamment
   c) spontanément   f) violemment

3. a) toujours   c) ensemble
   b) probablement   d) trop ; dehors

Page 50

4. a) trouve ; verbe   c) s'installer ; verbe
   b) toujours ; adverbe

5. a) sans   e) avec
   b) de   f) en
   c) contre   g) durant
   d) avant

Page 51

6. a) autour de ; dans   c) à
   b) de ; pour

7. a) mais   e) car
   b) ou   f) donc
   c) quand   g) lorsque
   d) et   h) parce que

8. a) mais   c) et
   b) donc   d) parce qu'

Page 52

1. a) impatiemment   c) savamment
   b) vivement   d) vraiment

2. a) bientôt ; temps   c) bien ; manière
   b) loin ; lieu   d) peut-être ; doute

3. a) dans   c) depuis
   b) autour de   d) pour

Page 53

4.

Temps	But
avant	afin de
depuis	pour

Lieu	Moyen
chez	avec
sur	en

5. Une espèce animale est vulnérable **lorsque** sa survie est menacée à long terme. C'est le cas de la tortue des bois, de l'aigle royal **et** de l'ours blanc.

Une espèce est menacée **quand** sa disparition est presque certaine. Plusieurs espèces sont menacées, **comme** la tortue molle à épines, le pluvier siffleur **et** le carcajou. Il faut **donc** prendre des mesures appropriées pour les préserver.

Page 56

1. a), b) et e)

2.

dét. + n. + adj.	dét. + n. + prép. + n.
ce cheval fort	ce cheval de trait
un jour pluvieux	un jour de pluie
une voiture luxueuse	une voiture de luxe

3. c)

4. a) A c) B
   b) A d) A
5. a) font c) emprisonnait
   b) sont d) volait ; couraient
6. a) v. + prép. + GN c) v. + GN
   b) v. + GN

Page 58

1. a) C c) A
   b) D d) B
2. a) A c) B
   b) D d) C

Dossier C Accords

Page 60

1. a) des **pommes** et des **oranges** mûres ; f. pl.
   b) plusieurs **fruits** et **légumes** ; m. pl.
   c) une **pomme** par jour ; f. s.
   d) quelques **raisins** bleus ; m. pl.
   e) bien des **compotes** différentes ; f. pl.
2. a) On trouve souvent des animaux dans **les** histoires **merveilleuses** et **féeriques**.
   b) **Le** dragon **ailé** en est un exemple.
   c) Avec **ses immenses** ailes, il survole les châteaux.
   d) **Les braves** et **nobles** chevaliers tentent de combattre le dragon.

Page 61

3. a) Tristan ; Clovis c) tante ; moitié
   b) préférences
4. a) contentes c) passionnants
   b) satisfaits d) terrifiants

Page 64

1. a) chapeau d) restes
   b) plume e) fils
   c) déchets
2. a) Quelle ; f. s. d) Mon ; m. s.
   b) Notre ; f. s. e) Quel ; m. s.
   c) Mes ; m. pl.

Page 65

3. a) Ce ; cette d) une
   b) l' ; la e) Son
   c) Mon
4. a) commercial ; m. s. d) originale ; f. s.
   b) grande ; f. s. e) meilleure ; f. s.
   c) préférées ; f. pl.

Page 66

1. a) nouvelle ; f. s. c) garçon ; m. s.
   b) élève ; m. s. d) membres ; m. pl.
2. a) On trouve souvent **des** personnages **merveilleux** dans les contes.
   b) Le magicien est parfois **un** personnage **méchant** et **dangereux**, parfois **un** être **amical**.
   c) Les lutins sont habituellement **des petites** créatures **amusantes**.
   d) Les gentilles fées aident **les** héros **épuisés** ou **malchanceux**.

Page 67

3. a) Cette ; f. s. d) Certains ; m. pl.
   b) son ; m. s. e) un ; m. s.
   c) Quelles ; f. pl.

Page 70

1. a) carcajou ; 3ᵉ pers. s. c) mâchoires ; 3ᵉ pers. pl.
   b) animal ; 3ᵉ pers. s. d) espèce ; 3ᵉ pers. s.
2. a) vous ; 2ᵉ pers. pl. c) Je ; 1ʳᵉ pers. s.
   b) ils ; 3ᵉ pers. pl. d) tu ; 2ᵉ pers. s.

Page 71

3. a) ils d) il
   b) il e) ils
   c) il
4. a) adore c) participent
   b) monte d) doivent

Page 72

5. a) arrivé**s** d) resté**s**
   b) allé**s** e) demeuré
   c) demeuré**e**
6. a) marche ; f. s. c) tournois ; m. pl.
   b) activités ; f. pl. d) patineuses ; f. pl.

Page 73

1. a) orage c) élèves
   b) pluie, vent d) randonneur
2. a) professeur ; il c) Cindy, Amad, toi ; vous
   b) classe ; elle d) Samuel, moi ; nous

Page 74

3. b) et d)
4. a) bon**nes** c) substitu**ts**
   b) amateu**rs** d) satisfaisant**e**

Dossier D Conjugaison

Page 76

1. a) e d) ons
   b) rend e) uniss
   c) hai f) ent
2. a) seraient d) aurais
   b) est e) ont
   c) étions
3. c)

Page 77

4. a) ouvre d) font
   b) finissons e) peux
   c) dit f) viens
5. a) jugeais d) mangions
   b) rangeais e) partagiez
   c) nageait f) mangeaient
6. a) viendrai d) viendrons
   b) viendras e) viendrez
   c) viendra f) viendront

Page 78

7. a) pourrais d) voudrions
   b) pourrais e) pourriez
   c) voudrait f) voudraient

8. a) aim**é**
   b) fin**i**

   c) pri**s**
   d) ten**u**

9. a) noircis
   b) écoute

   c) trouvons

Page 79

10. a) aim**e**
    b) chant**es**
    c) gard**e**

    d) march**ions**
    e) trouv**iez**
    f) ajout**ent**

Page 82

1. a) Radical
   b) Terminaison
   c) Radical

   d) Terminaison
   e) Terminaison

2. a) ais
   b) ais
   c) ait

   d) ions
   e) iez
   f) aient

3. a), b) et d)

Page 83

4. a) aim
   b) chant
   c) trouv

   d) appel
   e) parl
   f) part

5. a), c) et e)

6. a) ont
   b) est
   c) suis

   d) ont
   e) ai

Page 84

1. a) e
   b) finiss

   c) ons
   d) ent

2. a) avons
   b) êtes

   c) ont
   d) a

3. Tous les verbes se forment de la manière suivante à l'indicatif passé composé : auxiliaire **avoir** ou **être**, suivi du **participe passé** du verbe.

Page 87

1. a) promets
   b) promets
   c) promet

   d) promettons
   e) promettez
   f) promettent

2. a) di**s** ; fai**s**
   b) di**s** ; fai**s**
   c) di**t** ; fai**t**

   d) dis**ons** ; fais**ons**
   e) di**tes** ; fai**tes**
   f) dis**ent** ; f**ont**

3. a) juge
   b) ranges
   c) nage

   d) mangeons
   e) partagez
   f) figent

Page 88

4. a) et c)

5. a) lançais
   b) commençais
   c) perçait

   d) annoncions
   e) avanciez
   f) plaçaient

Page 89

6. b)

7. a) mangeait
   b) mettais
   c) voyais

   d) faisions
   e) changiez
   f) partaient

Page 90

1. a) peux
   b) mangeons
   c) mentent

   d) doivent
   e) promets
   f) faites

2. a) viens
   b) viens
   c) vient

   d) venons
   e) venez
   f) viennent

3. b), c), e), f) et g)

Page 91

4. a) voyais
   b) voyais
   c) voyait

   d) voyions
   e) voyiez
   f) voyaient

5. a) balançait
   b) nageons ; commençons

   c) mettais ; rangeais
   d) veulent ; doivent

Page 94

1. b)

2. a) mettrai
   b) pourras
   c) devra

   d) mettrons
   e) devrez
   f) pourront

Page 95

3. a) ferai
   b) sauras
   c) finira

   d) voudrons
   e) regarderez
   f) tiendront

4. a) ferais
   b) dirais
   c) dirait

   d) ferions
   e) feriez
   f) diraient

5. a) finirais
   b) partiraient

   c) devriez
   d) mettrais

Page 96

1. a) voudrai
   b) voudras
   c) voudra

   d) voudrons
   e) voudrez
   f) voudront

2. a) dirai
   b) mettras
   c) sentira

   d) placerons
   e) ferez
   f) viendront

3. a) fe**rais**
   b) fe**rais**
   c) fe**rait**

   d) fe**rions**
   e) fe**riez**
   f) fe**raient**

Page 97

4. a) voudrais
   b) mettras
   c) viendrait

   d) partirons ; pourrons
   e) feriez

Page 100

1. a), b) et d)

2. a) é, ée, és, ées
   b) i, ie, is, ies

   c) u, ue, us, ues
   d) t, te, ts, tes

3. a) aim**e** ; fin**is** ; reçoi**s**
   b) aim**ons** ; finiss**ons** ; recev**ons**
   c) aim**ez** ; finiss**ez** ; recev**ez**

Page 101

4. a) Mets
   b) Recevez

   c) offrons
   d) déçois ; rejoins

5. a) sois   c) soyez
   b) ayons

6. a) rend**e**   d) tord**ions**
   b) apprenn**es**   e) surpren**iez**
   c) attend**e**   f) prenn**ent**

7. Les verbes *avoir* et *être*.

Page 102

1. a) di**t**   d) compt**é**
   b) reç**u**   e) rend**u**
   c) vieill**i**   f) mi**s**

2. a) Aime   d) Rendons
   b) Va   e) Vends
   c) Finissez

Page 103

3. a) aie   d) soyons
   b) sois   e) ayez
   c) ait   f) soient

4. a) Fais   d) Venez ; chantons
   b) regardes e) mangions
   c) parti

Dossier E Phrase

Page 105

1. a) Quand j'étais enfant **(rose)**, mon père et moi **(bleu)** allions pêcher **(jaune)**.
   b) Nous **(bleu)** quittions la maison **(jaune)** avant le lever du jour **(rose)**.
   c) Souvent **(rose)**, mon père **(bleu)** m'aidait à appâter les poissons **(jaune)**.

2. a) En mai, **on** célèbre la fête des Mères.
   b) **La fête des Pères** a lieu en juin.
   c) Connaissez-**vous** l'origine de ces fêtes ?
   d) **Nos parents** apprécient être fêtés une journée par année.

3. a) des amis
   b) épuisée
   c) une excellente activité physique

Page 106

4. a) Le matin
   b) pour prendre l'autobus scolaire
   c) bientôt
   d) parce qu'elle change d'école

5. a) interrogative   d) interrogative
   b) déclarative   e) déclarative
   c) impérative

6. a) Ce matin, Justin ~~et t~~oi allez à votre cours de karaté.
   b) V~~o~~us préparez vos kimonos.
   c) Tous les deux, vo~~u~~s répétez vos katas.

Page 107

7. a) Viens-tu me voir pour me demander de l'aide ?
   b) Regardez-vous un film dans le salon ?
   c) Irons-nous à la plage l'été prochain ?

8. a) Dans la ferme, les animaux se disputaient. Le bœuf se vantait $\boxed{:}$ $\boxed{\text{«}}$ Je suis le plus robuste des animaux ! $\boxed{\text{»}}$
   b) Du haut de son perchoir, le coq lança dans un cocorico retentissant $\boxed{:}$ $\boxed{\text{«}}$ Aucun de vous ne peut régler le réveil du fermier et de sa famille ! $\boxed{\text{»}}$
   c) La poule leur lança, dans un élan de sagesse $\boxed{:}$ $\boxed{\text{«}}$ Vous êtes tous du même clan, celui qui sert à nourrir le fermier, sa femme et ses enfants ! $\boxed{\text{»}}$

Page 108

9. a) La protection de l'environnement est la responsabilité des citoyennes et des citoyens $\boxed{,}$ des gouvernements $\boxed{\text{et}}$ des entreprises.
   b) Si chaque personne fait sa part à la maison $\boxed{,}$ dans les lieux publics, à l'école $\boxed{\text{ou}}$ au travail, on peut améliorer la situation.

Page 111

1. a) nous   c) cet habile pêcheur
   b) un aigle

2. a) La fête nationale des Québécois
   b) Les citoyens et citoyennes
   c) Plusieurs
   d) Laurie

3. a) sont arrivés
   b) semblaient bien fatigués
   c) repartiront
   d) seront absents

4. L'un des personnages de ce nouveau film, le noble chevalier, **demeure** un ami fidèle du roi tout au long de ses aventures. À première vue, il **semble** plutôt réservé, mais quand on en sait plus sur lui, on découvre qu'il **est** courageux et combatif.

Page 112

5. a) courageux ; adj.
   b) un garçon amusant et sympathique ; GN
   c) furieuse ; adj.
   d) sensible ; adj.

6. a) Tous les jours
   b) sur le quai
   c) toujours à la même heure ; jour après jour

7. a) lieu   c) but
   b) temps   d) cause

Page 113

1. a) Les élèves de 6ᵉ année **(bleu)** partagent une même préoccupation **(jaune)**.
   b) Ils **(bleu)** seront au secondaire **(jaune)** l'an prochain **(rose)**.
   c) Pour certains **(rose)**, le choix de l'école **(bleu)** est facile à faire **(jaune)**.
   d) D'autres **(bleu)**, avec leurs parents **(rose)**, visiteront quelques écoles **(jaune)**.

2. a) la fête nationale du Canada
   b) Cette date
   c) le Canada
   d) La Confédération

3. a) des alliées   c) brave
   b) prisonnière

Page 114

4. a) Le samedi matin ; chaque semaine
   b) Dès neuf heures ; pour que nous venions déjeuner
   c) Sans perdre de temps
   d) Parfois ; quand nous avons terminé

5. a) cause   c) lieu
   b) temps   d) but

Page 117

1. a) Phrase impérative   d) Phrase impérative
   b) Phrase impérative   e) Phrase déclarative
   c) Phrase déclarative

2. a) [!]   c) [!]
   b) [.]

3. a) lui   c) le
   b) la   d) y

Page 118

4. a) Quand ton frère viendra-t-il ?
   b) Est-ce que Julia est partie tôt ce matin ?
   c) As-tu préparé le déjeuner de ta petite sœur ?

5. a) Qui est-ce qui   d) Est-ce que
   b) Pourquoi   e) Quel
   c) Quand

6. a) qui   c) Quand
   b) où

Page 119

1. a) et c)

2. Ce soir, je suis allée visiter le Salon du livre de Montréal. Que de belles rencontres j'ai faites ! À un moment, j'ai entendu la voix de ma mère : « **Vite, viens me rejoindre !** » Elle était en train de discuter avec mon auteur québécois préféré. Dès que je suis rentrée à la maison, j'ai appelé ma sœur qui était à l'étage : « **Alicia, descends vite voir ce que je t'ai rapporté !** »

3. a) lui   c) le
   b) leur

Page 120

4. a) Qui   d) Où
   b) Quelle   e) Pourquoi
   c) Combien

5. a) Quelle école organise des olympiades ?
   b) Qui fournira les boissons ?
   c) Quand les responsables remettront-ils des prix de présence aux participants ?

Page 123

1. a) [?]   d) [?]
   b) [.]   e) [.]
   c) [!]

2. a) « Je suis le roi de la jungle [»][,] rugit le lion [.]
   b) [«] Et moi [,] réplique la girafe [,] je suis le plus élégant de tous les animaux de la savane [.][»]
   c) [«] Pour qui se prennent-ils ? [»] se demandent les singes [.]
   d) [«] Nous sommes tous égaux [»][,] lance l'énorme éléphant [.]

3. a) Voici quelques petits gestes quotidiens qui aident à protéger l'environnement : recycler [,] économiser l'eau potable et réduire sa consommation d'énergie.
   b) Nicolas [,] Lili [,] Alice et Xavier sont inscrits au club écologique de leur ville.
   c) Ce club a pour mission d'informer les jeunes et de les inciter à poser des gestes écologiques [,] à protéger leur environnement et à rallier d'autres jeunes à leurs efforts.

Page 124

4. Les oiseaux organisaient leur fête estivale annuelle. Le noir corbeau croassa bien fort :

   [«] Soyez tous à l'heure pour le grand concert qui se tiendra à l'aube !

   [—] Pourquoi croasses-tu si fort ? lui demanda la gracieuse hirondelle [.]

   [—] Je suis le chef, je dois me faire entendre de tous [,] argumenta le corbeau [.]

   [—] Essaie donc plutôt d'être toi-même à l'heure demain [»][,] répliqua l'hirondelle avant de s'envoler loin du prétentieux corbeau [.]

5. a) Au XXIe siècle [,] la protection de l'environnement est devenue une priorité.
   b) Dans plusieurs familles [,] on adopte des comportements écologiques.
   c) Le recyclage est devenu [,] au Québec [,] une pratique courante.
   d) Si nous voulons protéger notre environnement [,] il faut poser des gestes verts au quotidien.

Page 125

1. a) Combien d'heures d'exercice devons-nous faire par jour [?]
   b) Généralement [,] les spécialistes en conditionnement physique recommandent de vingt à trente minutes d'exercice trois fois par semaine [.]
   c) Qu'est-ce qu'un exercice exigeant [?] Cela varie selon l'âge et la santé de la personne [.]
   d) Il peut s'agir de marche rapide [,] de course à pied [,] de vélo [,] de soccer ou de danse [.]

2. La romancière invitée nous livra le message suivant : « Lire, c'est voyager et vivre des aventures sans se déplacer .

— Pouvez-vous nous donner un exemple ? demanda Léo .

— *Le tour du monde en 80 jours* de Jules Verne a permis à bien des lecteurs de découvrir le monde sans même bouger de leur fauteuil , répondit la romancière.

— Je vais me procurer ce roman et voyager à peu de frais » , conclut Léo.

Page 126

3. a) La viande , le poisson , les légumineuses et les œufs font partie de la catégorie des viandes et substituts.

   b) Si on recommande de consommer six à huit portions de produits céréaliers , on ne suggère que deux ou trois portions de viandes et substituts.

   c) Traditionnellement , au Québec , on consommait trop de viande et pas assez de fruits et de légumes.

   d) Lorsqu'on mange de la viande en trop grande quantité , les gras qu'elle contient peuvent nuire à la santé du cœur.